Voltas que a vida dá

ZIBIA GASPARETTO

Por espíritos diversos

NOVA EDIÇÃO

© 2015 Zibia Gasparetto
© knape/Getty Images

Coordenadora editorial: Tânia Lins
Coordenador de comunicação: Marcio Lipari
Capa e projeto gráfico: Jaqueline Kir
Diagramação: Rafael Rojas
Revisão: Equipe Vida & Consciência

1ª edição — 31 impressões
2ª edição — 18ª impressão
5.000 exemplares — fevereiro 2025
Tiragem total: 437.200 exemplares

Dados Internacionais de Catalogação na Publicação (CIP)
(Câmara Brasileira do Livro, SP, Brasil)

Voltas que a vida dá / Espíritos Diversos ;
[psicografado por] Zibia Gasparetto. -- 2. ed. --
São Paulo : / Centro de Estudos Vida & Consciência
Editora, 2015.

ISBN 978-85-7722-426-5

1. Espiritismo 2. Obras psicografadas
I. Diversos Espíritos. Gasparetto, Zibia.

14-01049   CDU-133.93

Índices para catálogo sistemático:
1. Romance espírita : Espiritismo

Todos os direitos reservados. Nenhuma parte desta edição pode
ser utilizada ou reproduzida, por qualquer forma ou meio, seja
ele mecânico ou eletrônico, fotocópia, gravação etc., tampouco
apropriada ou estocada em sistema de banco de dados, sem a
expressa autorização da editora (Lei nº 5.988, de 14/12/1973).
Este livro adota as regras do novo acordo ortográfico (2009).

Vida & Consciência Editora e Distribuidora Ltda.
Rua das Oiticicas, 75 – Parque Jabaquara – São Paulo – SP – Brasil
CEP 04346-090
editora@vidaeconsciencia.com.br
www.vidaeconsciencia.com.br

ABENÇOAR A VIDA É ABRIR A PORTA PARA A LUZ ENTRAR.

SUMÁRIO

1. NAS VOLTAS DA VIDA.................................. 7
2. VOLTAS QUE A VIDA DÁ 11
3. A DIFERENÇA.. 17
A VISITA.. 21
O RECURSO 25
O CAMINHO.. 33
OS DETALHES... 41
O ENTRAVE 47
O RESPEITO... 55
O GENUFLEXÓRIO 61
A LENDA DOS URUÇUS 67
A CRISE... 71
O COMPROMISSO 75
A CLARINADA 81
O ESBARRO 87
A PUNIÇÃO... 95
A GRAVATA 101
O SABER ESPERAR 107
O RETRATO... 113
O ARGUMENTO 119
OFERTA 125
A CORRENTE.. 131
JORNADA NOVA 139
O PASSE... 143
O PREÇO DO SILÊNCIO 149
A ESPERANÇA.. 155

1

NAS VOLTAS DA VIDA

O agora é sempre a hora da mudança. Nada fica parado, tudo se transforma sempre. As leis divinas que regem o universo trabalham mantendo os elementos dos mundos em equilíbrio constante. Todos os seres vivos, em todas as dimensões, estão sob o domínio dessas leis.

A vida é funcional e só trabalha por mérito. Com sabedoria e praticidade, o Criador colocou dentro de cada um, além de dons a serem desenvolvidos, o poder de escolha, que é absoluto. Você pode escolher o que quiser, mas colherá os resultados. É dessa forma que poderá avaliar atitudes, aprender o que é melhor e progredir. Poderá até destruir o corpo de carne, mas seu espírito, que é eterno, viverá para sempre.

Nossa alma, é essência divina, possui todos os sensos, está localizada no centro do peito. É ela quem nos inspira bons pensamentos, traz paz, alegria e luz. É no sentir que nos ligamos a ela.

Para manter esse bem-estar, é preciso não absorver o negativismo do mundo, a fim de não atrair energias que dificultem o sucesso dos nossos esforços. É bom lembrar que nossa mente capta energias dos outros, principalmente quando estamos invigilantes e não gerenciamos nossos pensamentos.

Auxiliar os outros é sempre bom. Mas a ajuda precisa ser efetuada com inteligência. É só para quem merece. Ajudar alguém relapso, irresponsável, vai atrair para sua vida parte dos problemas da pessoa. Ela precisa dos desafios para aprender a viver melhor e você está indo contra o que a vida quer.

A vida é perfeita com suas leis, sua justiça e atua de forma tão amorosa que vai muito além os nossos conceitos de bondade e compaixão. Quando nos esforçamos para copiar essa generosidade da vida, é bom olharmos os pontos fracos dos outros, mas sem julgamento, apenas para agirmos de maneira verdadeira e evitarmos problemas.

A vida na Terra é preciosa e é preciso aproveitar melhor as oportunidades que ela nos oferece. Só temos o presente para construir nossa felicidade. Viemos buscar aqui a conquista de uma vida melhor. Para que ficar olhando o negativismo do mundo, quando podemos elevar nosso pensamento olhando o azul do céu, observando as estrelas em uma noite calma, ou caminhando por entre as flores em uma tarde gostosa de verão?

Para que observar a maldade daqueles que ainda ignoram e que certamente terão de suar a camisa para aprender a verdade? Embora conscientes, vamos ter compaixão. A vida é amorosa e sabemos que um dia eles também encontrarão um caminho bom.

Nós, que acreditamos na espiritualidade, que confiamos na vida, estamos alegres e conscientes de que tudo muda, tudo passa, tudo se renova e algum dia em algum lugar, todos nós, um a um, estaremos felizes e em paz.

Nós somos eternos e temos toda a eternidade pela frente e vamos conquistar tudo isso! A vida dá muitas voltas e nesse vaivém, no fim de tudo, essa é a melhor volta que a vida dá!

Zibia Gasparetto

2

VOLTAS QUE A VIDA DÁ

Meu amigo Ricardo Teixeira de Melo, homem prudente e habilidoso, conseguiu juntar fortuna regular à custa de enorme economia.

Esforçara-se durante muito tempo no trabalho árduo, e a riqueza, coroando-lhe os esforços, ajudara-o a estabelecer-se com rendosa indústria manufatureira. Entretanto, apesar de estar financeiramente bem, Ricardo não modificou sua maneira de ser.

Habituara-se à poupança e ao controle excessivo dos mil réis, sem se dar conta de que já podia usufruir de maior conforto e menor preocupação com a manutenção de sua família.

Assim, ele vigiava o horário dos empregados na fábrica, calculando o custo dos minutos perdidos nos atrasos comuns durante o serviço. Em casa, não permitia o menor deslize no orçamento magro, jamais propiciando aos familiares o conforto e, às vezes, coisas mais necessárias. Quando a esposa,

11

aborrecida, aludia à sua vantajosa situação financeira, ele dizia:

— Você que pensa! Eu é que sei dos compromissos e das responsabilidades! Não. Não posso gastar de maneira alguma.

E a mulher tristemente remendava ao máximo as roupas da família e fazia tremenda ginástica para não sair do magro orçamento doméstico.

Dessa forma, os bens de Ricardo duplicavam sempre, sem que ele mudasse o padrão de vida a que desde jovem se habituara. Ao contrário, com o correr dos anos, foi ficando pior. Não tirava férias para melhor poder vigiar o negócio. Era sempre o primeiro a chegar e o último a sair. Não tinha, por isso, tempo para dedicar-se ao aconchego familiar. Mal parava em casa. Desenvolvia enorme atividade para exercer o controle de tudo, assim a neurastenia tornou-se inevitável e, com ela, o desequilíbrio orgânico.

Era inútil a insistência da família. Ricardo não descansava.

Certa madrugada foi chamado às pressas. Irrompera violento incêndio em sua fábrica. Ninguém descobriu a causa do sinistro; entretanto, toda a indústria foi destruída. Sobrou, diante dos olhos esbugalhados e febris de Ricardo, um amontoado de ruínas fumegantes. Nada pôde ser salvo, nem uma peça. E, como por medida econômica Ricardo não fizera o devido seguro contra incêndio, ficou definitivamente na miséria.

Em virtude do choque emocional, foi acometido de séria enfermidade, guardando leito por algum tempo. Quando melhorou, ficou com o braço direito imobilizado e inútil.

Incapaz de recomeçar a vida por questões psíquicas, além do defeito físico, Ricardo, sem outros recursos para viver, ficou na dependência dos filhos, que viviam de modesto salário.

Todavia, habituados ao pensamento de que o pai gastava pouco, e porque ele nunca lhes dera dinheiro para as menores coisas, obrigando-os ao trabalho se precisassem de algo, não se sentiam na obrigação de serem pródigos para com ele.

Ainda assim, enquanto os dois rapazes eram solteiros e residiam com os pais, as coisas se arranjaram regularmente, mas, depois que se casaram e saíram de casa, formando seu próprio lar, a situação tornou-se calamitosa.

Ricardo e a esposa recebiam pequena mesada, que mal dava para a modesta refeição. Com seu precário estado de saúde, ele precisava de medicamentos cada vez mais caros. Seu corpo envelhecido requisitava maior quantidade de agasalho.

E, se alguma vez, engolindo a revolta interior, ele se dirigia aos filhos solicitando aumento da magra pensão, ouvia invariavelmente:

— Por agora é só o que posso dar. Tenho família a sustentar. O senhor não sabe as minhas responsabilidades e os meus compromissos!

Quando lhe morreu a companheira, nenhum dos dois abriu-lhe as portas do lar. Alegando necessidade de tratamento especializado e para melhor atendimento médico, internaram-no em um asilo de velhos.

13

Foi amargurado e triste que Ricardo retornou ao plano espiritual, depois de algum tempo de perturbação. Trazia um amontoado de queixas contra os familiares, o que muito prejudicou seu pronto equilíbrio.

Foi por isso visitado por amoroso instrutor, desejoso de ajudá-lo. Diante do carinho e da atenção de que foi objeto, Ricardo não conteve as lágrimas. Com voz triste, tornou:

— Ai! Meu amigo, como é bom encontrar almas generosas no caminho! Infelizmente eu não tive essa sorte. Deus me deu por família criaturas sem coração, que jamais se compadeceram da minha dor.

O mentor amigo, colocando, calmo, a mão sobre o braço do enfermo, perguntou:

— Mas... que fez para sanar o mal?

— O que podia fazer? Velho, cansado, só e doente?

— A essa altura, pouco, realmente. Entretanto, teve inúmeras oportunidades, como pai, de construir o amor e a generosidade no coração dos seus filhos. A criança é uma plantinha tenra que cresce em torno da estaca que lhe serve de apoio. Se esta for firme e justa, ela crescerá perfeita, na devida posição. Porém, se for mal colocada, frouxa e indiferente, a planta proliferará irregularmente, será fraca e mirrada. Teve, durante o início da vida, ocasião de ensinar os seus a serem generosos e bons, e perdeu a oportunidade, valorizando apenas a posse efêmera do dinheiro, que infelizmente não lhe ofereceu felicidade nem segurança; não encontrava tempo para tecer os laços duradouros da estima e da compreensão.

Chamado à responsabilidade, Ricardo baixou a cabeça, confuso. O mentor prosseguiu:

— Aceite as consequências dos seus atos com serenidade e paciência. Se nada plantou naqueles corações, se nada deu, como queria de lá tirar ou ter direito a alguma coisa? Valorize a experiência, e nunca é demais recordar os ensinamentos do Cristo quando nos advertiu: "Não vos afadigueis pela posse do ouro, que a traça corrói e a ferrugem consome, mas ajunteis tesouros no céu e sereis felizes".

E, colocando a mão fraternalmente sobre seus ombros curvados, terminou perguntando:

— E quer maior riqueza e maior tesouro do que o amor de pai envolvendo e penetrando o coração de um filho?

Marcos Vinícius

3

A DIFERENÇA

A porta fechara-se com estrépito. Mariazinha batia o pé, chorosa. Queria a boneca grande, queria!

A mãe, preocupada, em vão procurava explicar-lhe por que não podia atender-lhe o desejo.

Contudo, a menina desatendia a qualquer raciocínio.

Sua mãe era de condição modesta, não poderia jamais conceder-lhe o pedido. Conseguira comprar-lhe o vestidinho simples, mas alegre, e uma boneca pequena, mas graciosa. Entretanto, a menina não ficara feliz com o presente materno.

Via a menina rica da esquina, cercada de luxo e presentes caros, de bonecas suntuosas. Não compreendia por que ela não podia ter o mesmo. Julgava que a mãe não lhe queria dar.

— Minha filha, compreenda que temos o bastante! Não precisamos de nada mais para nossa felicidade! Jesus ficará triste se você for vaidosa e a inveja agasalhar-se em seu coração.

— Jesus não gosta de mim! — dizia ela a chorar.
— Por que dá tudo às outras e a mim só isso? A senhora não diz que ele é justo e bondoso?

— É. Jesus nos tem ensinado que Deus é pai bom para todos e colocou cada um de nós no lugar onde precisa estar para aprender a viver feliz! Não nos deu dinheiro porque somos muito vaidosos, e o dinheiro nos faria mal. Entenda, filha, é para o nosso bem! Sejamos felizes e agradeçamos ao Senhor o pouco que temos.

A menina calou-se, pensativa, mas trazia ainda a revolta estampada na face. Apanhou a boneca modesta, que a olhava com olhos inocentes, com evidente desgosto.

Foi quando a campainha da porta soou. Seria o pai com algum presente? Correu a abrir, com a fisionomia subitamente animada.

Estacou, surpresa. Uma pobre mulher, trazendo uma criança ao colo e outra pela mão, estendia sua palma suplicante.

A dona da casa correu a buscar algum alimento. Era noite de Natal!

A menina recém-vinda olhava maravilhada para a outra, e seus olhinhos brilhantes iam do vestido novo à boneca que ela carregava.

A outra, fitando-lhe o corpinho magro e maltratado, os pés descalços e os olhos tristes, sentiu-se repentinamente rica.

— Posso ver? — indagou a pobre criança, aproximando-se.

— Pode. Gosta?

— É a boneca mais linda que já vi!

— Você tem igual?

A outra balançou a cabeça.

— Não. Mas, quando eu crescer, vou ter uma boneca de verdade. Que fala, que anda, que chora e que ri.

— Como assim?

— Deus vai me dar uma, mamãe disse. E será mais bonita do que todas as bonecas mortas que tem por aí.

A outra ficou pensando, pensando.

Quando se foram, a menina, aproximando-se da mãe em atitude humilde, perguntou:

— Mamãe, Deus também vai me dar uma boneca de verdade quando eu crescer?

— Vai, minha filha, se você merecer.

— E para a filha de dona Bety também?

— Sim, minha filha, se ela for boazinha.

— Então, mamãe, Deus é justo mesmo! Porque, se os papais da Terra dão para as filhas as bonecas que podem, Deus dá para todas as bonecas iguais!

E sorriu, completamente feliz.

Gustavo Barroso

4

A VISITA

Conta a história da humanidade que, em tempos idos, na velha cidade de Betânia, o Mestre um dia caminhava, cercado de discípulos, rumo à casa de Nain, homem temente a Deus e cheio de preceitos religiosos, os quais buscava seguir criteriosa e religiosamente.

Cercado da atmosfera virtuosa, respeitado e temido pelos seus, Nain esperava orgulhoso a visita do rabi, certo de que, na sua posição privilegiada, poderia esperar do eminente Mestre grandes prodígios e demonstrações em sua casa.

Quando mais tarde chegou o senhor Jesus, com alguns discípulos, apressou-se em recebê-lo com deferência.

O meigo rabi, a passos lentos e leves, penetrou na habitação, onde lauta mesa os esperava, e os aparatos testemunhavam o desejo que Nain tinha de agradar e parecer homem de bem.

Na singular simplicidade dos seus gestos, o Mestre tomou assento em lugar discreto e sem atavios, sereno, passeando o luminoso olhar pelos demais, que, cabisbaixos, mas curiosos, aguardavam as palavras de Jesus.

Nain apressou-se a falar, dirigindo-se ao Senhor:

— Mestre, não é este o lugar que lhe havia destinado em minha casa. Tome assento no lugar de honra que preparei para o Senhor!

E com a mão designava uma bela mesa, coberta de flores e das mais ricas iguarias da época. Um verdadeiro banquete estava à espera do convidado de honra.

O Mestre, porém, sorriu e, levantando-se, colocou a mão direita carinhosamente sobre os ombros de Nain:

— Meu amigo, grande é a sua bondade preparando, com esmero, esta lauta mesa para nos receber. Entretanto, aprenda que não devemos seduzir com as satisfações mundanas aqueles que desejamos agradar. Ao meu coração basta sua sinceridade, sua presença amiga, seus pensamentos carinhosos, para abrigar-me feliz no aconchego do seu lar, sua harmonia com sua família, seus deveres de solidariedade humana bem cumpridos, para que o ambiente se torne confortável e acolhedor.

E, olhando para Nain, que cabisbaixo meditava na sua intolerância para com a esposa e os filhos, na sua intransigência em exigir dos amigos o cumprimento dos preceitos de sua casta, continuou:

— Pediu-me que viesse a sua casa pregar a boa-nova, trazendo meus companheiros. Entretanto, que poderia eu dizer-lhes se, homens habituados à vida áspera e sem regalias, estão agora distraídos, pensamentos voltados às tentações da satisfação das iguarias que preparou? Se lhes falasse mais tarde, após fazer jus à fartura da sua mesa, não seria compreendido, porque, envoltos na sonolência do estômago bem satisfeito, não compreenderiam mais minhas palavras. Assim, meu amigo, passemos à refeição, porque aqui não há lugar para a palavra do Senhor.

E, voltando-se para Nain, que decepcionado o ouvia, arrematou:

— Quem quiser entender e ouvir as palavras renovadoras da boa-nova deve preparar apenas as flores do coração, ungir seu pensamento de pureza, de bondade e de humildade. Porque só assim poderá ter a grandeza suficiente para entender as palavras e a vontade de Deus.

Marcos Vinícius

5

O RECURSO

Numa cidadezinha do interior, em modesta residência coletiva, existia pobre viúva que, com dificuldades várias, lutava para conseguir o sustento de seus oito filhos.

Apesar dos seus esforços, a vida difícil e o elevado custo das utilidades faziam com que os donativos tão insuficientes minguassem cada vez mais.

O supérfluo dos mais abastados também se restringia, e assim dias havia em que nada tinham ela e os filhos para comer.

Mulher de ânimo forte, lavava roupas para ganhar alguns níqueis, que desapareciam no sorvedouro dos preços altos, quase inúteis, tal a sua insuficiência.

Certo dia, porém, sua situação chegara ao extremo da miséria. O inverno rigoroso minava a saúde dos filhinhos, e três deles, de tenra idade, guardavam o leito, ardendo em febre e tossindo sem cessar. Nada havia para comer, e o tempo não lhe permitia lavar a roupa de suas freguesas, já que com a chuva incessante não lhe haviam dado serviço.

Vencida pelo desânimo, começou a pensar em desertar da vida. Batera em todas as portas inutilmente. Devia algum dinheiro às mulheres para as quais trabalhava, e assim não quiseram adiantar-lhe mais, dizendo-lhe que com a melhoria do tempo seus filhos ficariam bons.

A pobre mulher, mente escaldante, ouvindo as palavras dolorosas para seu coração de "mamãe estou com fome", começou seriamente a pensar em suicídio e na maneira de executá-lo. Daria seus filhos e se mataria.

Seu mentor espiritual, preocupado, sentindo-lhe a situação perigosa, conseguiu permissão do Alto para intervir, suavizando-lhe a dura prova, embora a soubesse necessária ao seu aproveitamento. Conversando com seu colaborador, deliberaram conseguir auxílio material que aliviasse temporariamente a situação, permitindo ao mesmo tempo que a fé e a confiança nos desígnios de Deus lhe dessem forças para o futuro.

Saiu o espírito colaborador para obter recursos, enquanto o mentor espiritual procurava transmitir à pobre mulher confiança e serenidade. Ela, porém, pensamentos depressivos, não lhe recebia as ondas de luz e esperança.

Entrementes, o espírito colaborador saíra e decidira procurar certa senhora abastada, conhecida por suas obras de assistência social. Parecia-lhe indicada para o caso, uma vez que o marido da pobre viúva fora um dos empregados nas indústrias de sua família.

Encontrou-a lendo, esticada em confortável poltrona, olhando de vez em quando para a chuva incessante que via cair através dos vidros da janela.

O espírito aproximou-se e começou a falar-lhe aos ouvidos espirituais, contando-lhe as dificuldades da pobre necessitada.

A senhora não lhe registrou a presença, mas perdeu a vontade de ler e começou a recordar-se da viúva com seus oito filhos, cujo marido morrera em um acidente. Sentiu vontade invencível de ir imediatamente ajudá-la. Levantou-se. Porém, olhando o dia frio e chuvoso, desistiu, pensando:

"Que ideia! Sair com um tempo desses. Outro dia qualquer mandarei alguém ver se eles precisam de alguma coisa. Talvez possa encontrar roupas velhas para eles".

Preguiçosamente, sentou-se novamente e, cobrindo as pernas com gostosa manta de lã, mergulhou com determinação e prazer na leitura. E o espírito, por mais esforço que fizesse, não conseguiu mais influenciar-lhe o pensamento, afastado da sua atuação pelas garras da preguiça.

Vendo que nada conseguia ali, ele saiu disposto a não perder tempo e encaminhou-se à casa de um espírita que trabalhava já havia algum tempo em grupos de assistência fraterna, visitando algumas vezes os necessitados, disposto a ajudá-los.

Esperançoso, recordou que lhe ouvira, em sessões doutrinárias, esplêndidas dissertações sobre a caridade e a beneficência. Comovera-se mesmo com sua sinceridade.

O dia estava já no fim, e o espírito foi encontrá-lo terminando a refeição da tarde, depois de um dia de trabalho. Alegrou-se vendo a fartura de sua mesa e antegozando a utilização das sobras que certamente dariam calma e confiança à pobre viúva, alimentando-lhe os filhos.

Aproximou-se dele, tocando-lhe a fronte com a mão, e transmitiu-lhe o pensamento de socorro à necessitada.

Lembrou-se o espírita, incontinente, da pobre viúva que tivera oportunidade de visitar em comissão assistencial e disse à esposa:

— Você não tem noção de economia. Tanta gente passando fome e nós com comida demais. Não está direito. Precisa fazer menos comida e evitar sobras.

A mulher não gostou da advertência e respondeu:

— Não posso adivinhar quanto vão comer cada dia. Vocês variam tanto! E quando aparecem visitas de última hora?

— Mas hoje não veio ninguém. Com um tempo desses! Dá-me vontade de levar tudo para aquela viúva que visitei outro dia!

O espírito exultou.

— Ora, com uma chuva dessas? Você se lembra do barro que teve de enfrentar quando esteve lá?

— É verdade. Não sei o que se passa. Algo me diz que ela precisa de nós. No próximo domingo irei ter com os companheiros do centro e proporei que lhe façam uma nova visita.

Decepcionado, o espírito viu que ele tomou um livro doutrinário, enterrou-se prazerosamente em uma poltrona e pôs-se a lê-lo, maravilhando-se com a beleza dos seus conceitos.

O benfeitor espiritual sentiu-se momentaneamente desanimado. A quem recorrer? Aqueles que se diziam cristãos e trabalhadores do bem não tinham conseguido libertar-se do comodismo e da preguiça. O que esperar dos demais? Em todo caso, precisava tentar.

Orou a Jesus implorando-lhe auxílio. Surpreso, viu-se transportado para uma casa humilde a poucos metros da casa da viúva. Seu interior era modesto e os poucos móveis que ali havia eram o reflexo fiel da situação precária dos moradores.

Uma mulher jovem, mas prematuramente envelhecida, olhava com desdém para o dinheiro que havia sobre a mesa, deixado por um cavalheiro havia poucos instantes, numa indiferença à qual os anos a haviam habituado.

Vivia só. Nenhuma mulher da vizinhança olhava para ela. Não concordavam com sua maneira livre de viver. Entretanto, ela jamais ferira os lares, respeitava-os. Seus admiradores eram todos de fora.

Naquela noite, ela sentia-se mais solitária do que nunca e lembrava-se com tristeza da sua orfandade que, separando-a dos demais irmãos, a lançara a situações que sua fraqueza não soubera vencer.

Condoído de sua dolorosa situação mental, o espírito aproximou-se e colocou a mão delicadamente sobre sua cabeça, buscando reconfortá-la.

Pensamentos de suicídio que lhe turbilhonavam a mente foram momentaneamente afastados. Teve vontade de fazer algo de bom antes de deixar a vida e, lembrando-se da viúva, não pestanejou. Juntou todo o dinheiro que possuía e algum alimento, e saiu, indiferente ao mau tempo, rumando para a casa da pobre mulher.

Bateu à porta timidamente. A viúva abriu e estacou, interdita.

— Dona Maria... Deixe-me entrar por alguns momentos. Preciso falar com a senhora...

A outra, muda, assentiu, e a jovem mulher deu-lhe o dinheiro e os alimentos que trouxera. Sem poder conter-se, a viúva abraçou-a, agradecida, chorando de alegria. A pobre moça, contagiada pela emoção, chorou também. Sentindo-se compreendida, contou-lhe todo o seu sofrimento, sua solidão e seu desejo de suicídio.

Vendo nela o espelho do futuro se desertasse da vida, deixando os filhos na orfandade, a viúva, profundamente comovida, abraçou-a, dizendo:

— Grande é a bondade de Deus que me permitiu ver a tempo o abismo que ia abrir-se a meus pés. Jamais esquecerei que você foi meu anjo salvador. Se quiser, pode ficar aqui, trabalhar e começar vida nova. Juntas, lutaremos melhor e conseguiremos vencer. Será uma filha para mim.

Abraçadas e comovidas, lembraram-se de dividir os alimentos entre as crianças que, felizes, cercavam sua nova benfeitora. E, enquanto elas se apressavam em atendê-las com alegria, os amigos espirituais, olhos marejados e corações felizes, oravam agradecendo ao Senhor.

Marcos Vinícius

6

O CAMINHO

No plano espiritual, contam que um homem, imbuído de profundo sentimento religioso, decidiu-se a procurar o caminho mais curto para chegar ao céu.

Depois de muito pensar sobre o que deveria fazer e estudar profundamente os compêndios religiosos mais importantes da época, decidiu cuidar exclusivamente da sua salvação.

Entretanto, possuía família: esposa e três filhos, que lhe tomavam todo o tempo disponível, pois precisava trabalhar arduamente para mantê-los.

Meditando que Deus alimenta seus filhos e Jesus ensinara que os pássaros do céu não trabalham nem amontoam comida em celeiros, resolveu afastar-se do lar a fim de dedicar-se exclusivamente ao seu aperfeiçoamento espiritual.

Surdo às rogativas da esposa aflita, cujos filhos ainda pequenos a impediam de trabalhar, um dia juntou seus pertences e, alegando à mulher chorosa que Jesus ensinara que cada um deve segui-lo incondicionalmente, sem se prender aos preconceitos de família, saiu de casa em busca da perfeição.

Caminhou em procura incessante durante longos anos, dedicando-se ao culto puro da religião, em contato com a solidão dos bosques e das florestas, ou isolado em templos, onde buscava a ligação com a divindade através da oração.

Fugia ao contato com os demais por achar que estava já acima do nível comum. Possuía no corpo a leveza dos constantes jejuns, mas o espírito ainda buscava incessantemente a paz e a serenidade almejadas.

O tempo foi passando, seu corpo envelhecendo, seus cabelos ficando brancos e as pernas cansadas; porém, ainda seu espírito procurava a ligação sonhada com a divindade. Embora com a mesma disposição anterior, a solidão já começava a pesar-lhe, e as saudades do lar enchiam-lhe o coração de profunda melancolia.

"O que terá sido feito dos meus?", pensava muitas vezes.

Acreditando-se joguete da fraqueza, reagia, buscando fugir à depressão.

Com o tempo, sua sensibilidade emotiva o fazia ter visões, onde sempre era o objeto central, e nelas via-se recebendo o prêmio de sua vida sacrificial de repúdio às paixões carnais comuns à humanidade.

Então, pensava ele, ajudaria a família, a esposa muito ignorante, que não conseguira compreender a superioridade das suas atitudes.

Quando a moléstia o acometeu, só e triste, não gozou do conforto acolhedor do carinho familiar e em triste situação de abandono sofreu penosa agonia. Desencarnou.

Ao despertar no plano espiritual, admirou-se com a tristeza da paisagem. Em zona ressequida e árida, onde o verde não existia, erguia-se grande templo cinzelado de ouro e pedras preciosas. Nosso amigo penetrou em seu interior e verificou que, apesar da riqueza da sua decoração, ali não existia calor, e tudo era extremamente inexpressivo. A um canto, longe um pouco do altar ricamente adornado, enorme biblioteca atraiu-lhe a atenção. Com espanto, aproximou-se e reconheceu todas as obras que lera durante todos aqueles anos.

A primeira impressão foi de alegria, mas depois a solidão começou a incomodá-lo. Sabia que tinha passado pela morte, entretanto, onde estava a recompensa por sua imensa luta?

O desassossego aumentava à medida que o tempo passava, e ele não conseguia sair do templo, apesar da vontade que tinha de fazê-lo.

Vozes começaram a escarnecê-lo, e ele não conseguia identificá-las. Diziam-lhe:

— Você não queria ser santo? Não queria saber tudo? Aí tem, pois, o seu ideal convertido em realidade. Convém reler os seus livros. Pode ser que eles lhe revelem a maneira de sair desta situação...

E a pobre criatura, para vencer o tédio e preservar a sanidade mental, começou então a reler os livros que antes estudara.

Porém, com singular desapontamento, ao reler o Evangelho do Senhor, notou que os caracteres já lhe pareciam diferentes e começou então a duvidar, pela primeira vez, da eficácia da sua interpretação passada.

Dúvidas terríveis insuflaram-se em seu íntimo. Com lágrimas descendo pelas faces, não suportando mais o peso das suas resoluções passadas, orou ao Senhor implorando auxílio.

Atendido por entidades superiores, foi levado para uma sala repleta de anciãos respeitáveis, para expor suas necessidades.

Nosso amigo, em lágrimas copiosas, expôs seu caso e concluiu:

— Sinto que não andei bem quanto à minha maneira de agir na Terra. Pensei somente em minha salvação, sem me preocupar com os meus. Agora sei que esse dever eu não cumpri e desejaria ajudá-los de alguma forma para poder sentir-me em paz.

O venerável ancião, olhando-o sereno, respondeu:

— Não há, por agora, necessidade de preocupação. Sua esposa já está aqui e virá falar-lhe.

Admirado, ansioso, nosso amigo aguardou a presença da companheira. Entretanto, inesperado jato de luz impediu-o de enxergar bem a criatura que se manifestava entre eles. Auxiliado por companheiros, aos poucos conseguiu acostumar-se à claridade e pôde perceber que a entidade como que se apagava para que ele pudesse vê-la.

Estupefato, reconheceu naquela criatura radiosa e belíssima a figura humilde e simples da esposa.

Lágrimas emotivas corriam-lhe pelas faces e as palavras morreram-lhe na garganta.

O belo espírito aproximou-se e suavemente acariciou-lhe os cabelos encanecidos. Mudos, permaneceram envoltos por emoções intraduzíveis.

O ancião, tomando a palavra, explicou:

— Meu amigo, a maior conquista do espírito consiste em bem desempenhar na Terra a tarefa que por Deus lhe foi confiada. Enquanto seu espírito, alimentando ilusões, perdia-se no fanatismo religioso, na modificação dos textos evangélicos, adaptando-os às suas imperfeições, sem humildade para compreendê-los, você abandonou os sagrados deveres do lar, relegando a família ao abandono, fugindo às obrigações mais prementes, negligenciando o burilamento dos seus sentimentos, negando-se a aprender na heterogeneidade do mundo a lição de fraternidade do Senhor. Enquanto isso, sua mulher lutava sozinha na dura lição terrena para conseguir o sustento dos filhos que você abandonou e, embora lhe faltasse o tempo para leitura brilhante, teve ocasião de exemplificar no trabalho e na honradez, na tolerância e na bondade, na disciplina rígida a que se impôs pela necessidade, conseguindo educar os filhos na moral mais pura e no conceito mais elevado, encaminhando-os seguramente na senda da vida. E, se às vezes, quando a luta se exacerbava, procurava algumas linhas do Evangelho, encontrava nelas alimento e conforto, renovação e luz, porque as podia compreender na grandeza da sua simplicidade. Os sofrimentos dos seus, suas lutas, deram-lhe a noção exata da alheia necessidade. Assim, ajudou o quanto pôde, não com recursos financeiros, que nunca possuiu, mas com suas mãos doloridas e calejadas pelo trabalho difícil e rude de cada dia.

Olhando o espírito confuso e triste que, cabisbaixo, não ousava interromper, continuou:

— Unidos na Terra, em vida pobre e difícil, tiveram ambos a oportunidade de avançar na conquista da evolução. Você escolheu o caminho mais difícil, estéril e longo; ela soube encontrar o caminho mais curto e proveitoso. Por isso, é imprescindível que retorne à Terra. Sozinho, agora com os conhecimentos didáticos adormecidos, será analfabeto e trabalhará duramente para conseguir o próprio sustento. Aprenderá, assim, a lição da humildade, e talvez um dia chegue à altura da sua companheira em planos mais altos.

E rematou, notando a profunda tristeza de nosso amigo:

— Entretanto, aprenda que, embora com maiores sofrimentos, todos os caminhos conduzem a Deus.

Marcos Vinícius

7

OS DETALHES

Certo companheiro era muito meticuloso. Tudo quanto realizava vinha catalogado de maneira perfeita e com o maior número de detalhes possível.

Na firma em que trabalhava, na direção de importante organização, era implacável. Exigia dos seus funcionários perfeição nos mínimos detalhes, sendo por isso malvisto por seus empregados, que sofriam suas ordens repetidas, vendo voltar inúmeras vezes seu trabalho para que fosse completado.

Em casa, aborrecia a esposa porque suas exigências causavam sempre uma série de problemas. As empregadas domésticas não paravam no emprego. Era o bastante ligeira ruga em sua camisa ou imperceptível dobra no friso de suas calças para que ouvissem um sermão sobre como se deve passar e conservar uma roupa, devendo repetir a operação até que ele a julgasse perfeita.

Até nos arranjos da casa nosso companheiro observava os mínimos detalhes, conhecendo um por um os arranhões dos móveis, o lugar exato das cadeiras, dos tapetes, dos bibelôs etc.

Sua esposa desdobrava-se em atividades e paciência para que tudo estivesse na mais perfeita ordem. Entretanto, ele sempre encontrava um pequeno detalhe esquecido para cognominá-la de desorganizada e distraída.

Muito toleraram os familiares, os poucos amigos. O caso tornou-se pior quando ele adoeceu. No leito, entre uma crise e outra, ficou mais exigente, bastando que sua bandeja com a refeição não chegasse no minuto exato, com todos os detalhes perfeitos, para que ele se dissesse vítima abandonada ao sabor da sorte, sem atendimento e consolo.

Na verdade, apesar da estima familiar, todos sentiram certo alívio quando ele passou para o plano espiritual.

De início, nosso companheiro estranhou muito a mudança de vida. Permaneceu durante longo tempo unido ao lar em que vivera, assistindo à modificação instantânea e radical que os seus realizaram. A esposa, sentindo a alegria da liberdade, modificou todo o arranjo doméstico. Na indústria que gerenciara, onde por vezes se refugiava certo de encontrar lá a organização que deixara, teve a surpresa de verificar que, num desafogo, seus funcionários modificavam todo o sistema de trabalho, sob a orientação de novo e moderno gerente.

Abatido, sentindo-se só e isolado, deprimido, julgando-se vítima do descuido e do desleixo do semelhante, foi atraído pelas preces de alguns antigos companheiros do plano espiritual a uma assembleia, na qual pôde trocar ideias com instrutores desejosos de ajudá-lo.

Desabafou então seu coração. Contou como se dedicara ao lar, desejando aperfeiçoar todos os seus detalhes; como se dedicara ao trabalho, procurando desempenhá-lo perfeitamente.

Ao término, exigindo justiça, esperou firme, imponente, a resposta, que veio de forma singular, através do diretor da augusta reunião:

— Meu amigo, sabemos de tudo quanto nos contou. Não há necessidade de se magoar recordando-se agora. Por um dever de justiça, e porque exige sempre os menores detalhes de todas as coisas, achamos necessário, neste instante em que estudamos seu passado, apreciar certas passagens de sua vida, que julga esquecidas. Acreditamos que queira revê-las detalhadamente.

E, diante da surpresa do nosso companheiro, um tanto preocupado e inquieto, em pequena tela colocada diante de seus olhos, começou a refletir-se, como em um filme, a rememoração de toda sua vida, desde a primeira infância, com tal realismo que até os mínimos pensamentos eram registrados.

À medida em que as cenas se sucediam, atingindo a fase da adolescência e da mocidade, nosso amigo foi se tornando agitado. Vendo dissecada sua intimidade, que julgara impenetrável, remexia-se na cadeira, refletindo no olhar um misto de vergonha e temor. Até que, a certa altura, não conseguindo controlar-se, não suportando mais aquela exibição, gritou:

— Parem! Parem! Pelo amor de Deus!

Imediatamente a tela desapareceu, restando nosso companheiro a soluçar desesperadamente enquanto dizia:

— Para que esmiuçar assim os erros que julguei esquecidos? Sei que estou errado. Não poderia esquecer o passado?

O instrutor espiritual aproximou-se dele, abraçando-o com carinho e disse:

— Medite em tudo que viu. Quando amanhã tornar à Terra, na bênção da reencarnação, lembre-se de que não foi capaz de suportar os detalhes de sua própria vida. Aprenda por isso a tornar-se tolerante para com as possibilidades alheias, não exigindo de cada um mais do que lhe possam dar. Procure você mesmo se aperfeiçoar cada vez mais, não nas exterioridades, mas nas suas ações e no seu íntimo, exigindo de si, isto sim, detalhadamente, a prestação de contas nas obras de cada dia.

Hilário Silva

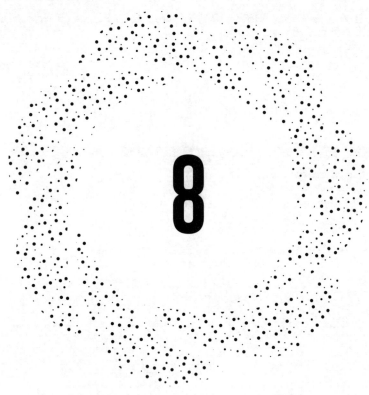

O ENTRAVE

Manoel Carlos desejava havia muito o lugar de superintendente na firma onde trabalhava, por entender que, melhorando de situação financeira, recebendo maior remuneração, poderia realizar seus antigos sonhos de fartura e despreocupação.

Desde muito moço vivera cercado de dificuldades, que lhe inutilizavam os esforços, obrigando-o a levar vida modesta e controlada.

Havia anos trabalhava devotadamente e, pela sequência hierárquica e tempo de trabalho, era a pessoa credenciada para assumir o posto quando houvesse a vaga. Mas por diversas vezes as coisas concatenavam-se de tal modo que outro assumia o lugar, e ele, decepcionado, amargurado, esforçava-se por ocultar sua revolta.

Certa vez, quando tudo parecia certo e as coisas se encaminhavam bem, Manoel Carlos não teve mais dúvidas: obteria a promoção. Entretanto, horas depois, chegou credenciado funcionário do interior, que havia pedido transferência e ocupara o cobiçado lugar.

Extremamente decepcionado, Manoel procurou o seu superior e desabafou sua mágoa, dizendo-se profundamente injustiçado. Usou termos fortes e, no paroxismo do desespero, só não foi despedido em consideração aos seus muitos anos de procedimento exemplar.

Aborrecido, retornou ao lar. Deprimido, contou à esposa seu fracasso, ao que ela respondeu:

— Vai ver que Alice tem razão! Eu tinha certeza de que você seria promovido! Olhe, ela acha que você está sofrendo perturbação espiritual! Ela é espírita!

— Você sabe que eu não creio nessas coisas...

— Mas o que ela diz pode ser verdade. Não custa nada irmos a uma sessão espírita. Quem sabe você tem alguém que o prejudica!

Ele estava relutante, mas tanto ela insistiu que resolveu comparecer à reunião. Ficou bem impressionado porque se tratava de um trabalho evangélico do Espiritismo cristão. Ouviu consoladoras exortações de mentores luminares enaltecendo a paciência, a tolerância, a resignação aos desígnios sábios do Alto. Contudo, sua situação continuou a mesma. Ele confidenciou à esposa um mês mais tarde:

— Não adiantou o Espiritismo. Tudo continua na mesma.

— Você tem razão. Mas dona Maria me disse que aonde fomos não adianta, porque a "mesa branca" não tem poderes para resolver certos casos. Acho que devíamos ir ao terreiro do seu João. Ele ajudou seu Antônio a arrumar aquele empregão! E fez dona Sinhá achar o dinheiro que havia sido roubado.

E lá se foram os dois para o trabalho que se realizava no terreiro de seu João.

Apesar do ambiente desagradável, cheirando a fumo e a bebida, eles gostaram daquele ar de "mistério" que parecia existir no local. Conversaram com seu João, expondo seus problemas, e o homem lhes prometeu auxílio, à guisa de polpuda recompensa, da qual receberia um sinal para "iniciar as primeiras despesas", e depois, quando ele tivesse conquistado a melhoria, o restante.

E as coisas mudaram para Manoel. Dentro de pouco tempo foi-se desanuviando o ambiente na firma e, um dia, com alegria enorme, conseguiu a promoção que o colocava em destaque, com o dobro do salário.

Os primeiros dias foram de euforia para ele. Sentia-se muito feliz e intimamente agradecia ao trabalho do seu João. Pagou sua dívida e integrou-se na nova posição.

Tinha maior responsabilidade, porém, sobrava-lhe muito mais tempo disponível e dinheiro para gastar. Começou, então, a apostar nos cavalos para passar o tempo e um dia teve a curiosidade de ir ao hipódromo assistir às corridas. Gostou. O ambiente fazia-o sentir-se importante, e havia também belas mulheres, que o atraíam.

Envolveu-se de tal maneira com o novo entretenimento que o que era um passatempo tornou-se uma necessidade. Sua esposa raramente o via em casa e vivia infeliz, suspeitando de sua ligação amorosa com outras mulheres. O dinheiro que recebia tornou-se insuficiente para manter a família, pois o gastava todo no prado. Manoel Carlos já não podia dispensar aqueles hábitos, que exigiam sempre mais dinheiro à medida que o tempo corria.

Até que, envolvido por pesados compromissos de jogo, passou a desviar quantias da firma em benefício próprio. Quando o escândalo estourou, ele, desesperado e aflito, não podendo arcar com a responsabilidade dos seus atos, suicidou-se espetacularmente com um tiro no ouvido.

Sua esposa, acabrunhada, aflita pelos sofrimentos que tivera, deixou-se dominar por funda depressão. Sua amiga Alice foi visitá-la, desejosa de ajudá-la de alguma forma. Espírita convicta, procurou consolá-la através do Evangelho, mas nossa irmã, com amargura, respondeu:

— Minha mãe sempre dizia que mudar de religião atrai a desgraça. Nós não devíamos ter nos metido com Espiritismo. O que adiantou? Ele teve a melhoria, mas recebeu a desgraça! Eu não volto mais lá.

Todavia, a amiga não desanimou, continuou carinhosamente a visitá-la até que, finalmente, conseguiu levá-la a uma reunião evangélica.

Nossa irmã, envolta em profundo abatimento, parecia não sentir as vibrações delicadas de harmonia e refazimento que envolviam o ambiente.

Quando, porém, foi pedida uma prece em benefício do espírito do seu marido, não conteve a revolta e, num desabafo, culpou o Espiritismo de ter engendrado sua desgraça.

Dedicado mentor espiritual dirigiu-lhe palavras de carinho e, aos poucos, ela foi serenando.

— Nós éramos felizes! Manoel, bom marido, honesto e dedicado.

— Mas vocês eram pobres! — lembrou o mentor espiritual.

— Não importa! A riqueza não traz felicidade! Nós vivíamos muito bem com a nossa pobreza, que não era tão rude assim.

Foi quando a voz suave do mentor espiritual tornou-se enérgica e firme:

— Minha filha, é hora de despertar para a realidade. Agora, diante das consequências dolorosas que a envolvem, com o fracasso da tarefa que a trouxe à reencarnação, quer lançar a culpa, que pressente sua, aos ombros de outras criaturas. Lembre-se de que, quando veio ao nosso encontro, tempos passados, não enxergava a felicidade que agora reconhece ter existido naquela ocasião. Dizia ser imprescindível a conquista de melhor posição socioeconômica para complementar sua felicidade. Examinando seu caso, porém, recorremos às fichas do passado de ambos, e lá encontramos erros envolvendo fracassos e derrotas, consequentes de vício e luxúria. Sabíamos que o maior benefício para ambos era viver afastados das facilidades e dos excessos, porque ainda não estavam suficientemente seguros nas conquistas espirituais para vencer o passado! Por isso, aconselhamos a paciência, a resignação, a tolerância. A riqueza é prova difícil, que só muita fortaleza consegue vencer. Por isso, equilibre o seu espírito e busque orar muito para que ambos tenham outras oportunidades o mais breve possível.

A viúva, mais serena, reconhecendo a razão do seu interlocutor, quis ainda fugir à sua responsabilidade, que lhe era difícil aceitar, e retrucou:

— Isso foi aqui. Mas na outra sessão aonde fomos, os espíritos, mesmo sabendo disso, deixaram-nos errar.

— Minha filha, não pode exigir das crianças que tenham a experiência e o conhecimento de um adulto. Certas criaturas, vivendo no imediatismo do mundo, a ele se apegam e, do outro lado da vida, continuam a ver apenas as benfeitorias imediatas. A elas, na maioria dos casos, não é dado conhecer nem penetrar no passado dos semelhantes e, quando o conseguem, não lhes interessa o benefício futuro, voltadas que estão ainda às coisas efêmeras.

— Mas então somos colocados à mercê dessas criaturas? Por que nossos mentores espirituais não as impedem de conseguir o que lhes pedimos, se esse desejo nos vai prejudicar?

— Minha filha, não temos a pretensão de ensinar a quem quer que seja. Sabemos a verdade, mas desejamos que cada um aprenda a encontrá-la por si. Toda queda representa nova experiência e, ao mesmo tempo, nos torna mais fortes para o futuro. Ademais, aprendemos a respeitar o livre-arbítrio. Procuramos sempre ajudar, orientando criteriosamente, imbuídos de carinhoso desejo de amparo, mas, se a criatura é surda às advertências, impermeável aos bons conselhos e não vê a realidade, o único remédio é deixá-la caminhar como deseja, para que, por sua própria experiência, encontre a realidade. É o máximo que podemos fazer para cada um. Porquanto, se os conselhos ajudam e as exortações levantam, a experiência sempre dará a conquista definitiva!

A viúva de Manoel Carlos baixou a cabeça, vencida. Pela primeira vez reconheceu a justiça divina e intimamente suplicou a Deus a oportunidade de recomeçar.

Marcos Vinícius

9

O RESPEITO

José Justino dos Santos, fazendeiro respeitado por todo o norte de Minas Gerais, orgulhava-se profundamente de duas coisas: sua fama de homem de bem e sua bela fazenda na invernada.

Zeloso de sua família, cuidava diligentemente da educação dos filhos e do seu futuro. Todavia, se conhecido por bom, era também temido por intransigente com seus códigos de honra e duro na aplicação do castigo, que sempre ministrava tanto aos servos como aos demais.

Vivia vida tranquila. Na verdade, porém, nem de leve conhecia a metade dos acontecimentos que lhe invadiam o lar.

Tanto a esposa como os filhos e os servos tacitamente encobriam os assuntos desagradáveis, a fim de evitarem aborrecimentos.

Por isso, quando sua filha contou em lágrimas à sua mãe que fora seduzida e abandonada, a mulher, temerosa e aflita, pensou unicamente na maneira de ocultar ao marido tal desgraça. Temia-lhe a justiça inflexível que certamente puniria terrivelmente a própria filha.

A jovem foi, por alguns meses, para a casa de sua madrinha um tanto distante e lá deu à luz um menino que, para poder ser visto sempre pela mãe, foi dado a um dos empregados do pai, humilde lavrador, para criar.

A jovem regressou ao lar, vivendo traumatizada pela dor de ter que quase ignorar a presença do próprio filho.

José Justino, entretanto, na austera atmosfera de sempre, arvorando-se em juiz, continuava a castigar rudemente todos aqueles que apanhava em erro.

Ignorava, contudo, que seu filho mais velho, em quem depositava as mais ardentes esperanças, vivendo na cidade, cursando escola superior, envolvera-se em escabroso romance com uma senhora casada e sofria chantagem terrível da parte de um salafrário que, para não mostrar ao marido injustiçado algumas fotografias comprometedoras, exigia somas cada vez maiores.

O rapaz, no paroxismo da angústia, havia alguns meses recorria à mãe que, por sua vez, subtraía ao pai a importância pedida.

José Justino, pela energia das suas atitudes e sua vida impoluta, provocava profundo temor e respeito em todos. Dizia sempre que soubera realmente educar os seus e manter bem alta a dignidade da família.

Todavia, a situação era falsa, e um dia José Justino surpreendeu palestra reveladora entre a esposa e a filha angustiada. Num relance, tomou conhecimento de tudo. Sentiu-se empalidecer. Fisionomia transtornada pelo ódio, expulsou a filha de casa, ameaçando-a de morte, proibiu terminantemente que seu filho mais velho regressasse ao lar e passou a derramar toda sua revolta sobre a angustiada esposa.

Tornou-se desconfiado, irascível.

A esposa, amargurada, sofreu, vendo sua querida filha escondida em casa do lavrador humilde que lhe agasalhara o filho, e desesperou-se sentindo a angústia do filho, a quem se viu impossibilitada de enviar dinheiro.

Mas José Justino, se era inflexível, também era pai e sofreu a tremenda desilusão. Sentiu a solidão do casario vetusto e a morte das suas esperanças felizes. Pela primeira vez sentiu dificuldade em aplicar castigo aos culpados. Para não sucumbir de dor e desespero, orou ao Senhor em busca de proteção e amparo, de forças para não fraquejar na energia e na dureza de suas deliberações.

À noite, adormeceu e sonhou que se encontrava em agradável lugar, rodeado de amigos, a quem confidenciou suas desilusões. Ninguém lhe respondeu as palavras doloridas; afastaram-se discretamente, dando passagem à luminosa figura envergando uma toga negra.

O recém-vindo sentou-se ao seu lado e, depois de cumprimentá-lo, afável lhe disse:

— Vim ajudá-lo. Sua rogativa nos comoveu.

José Justino, confortado, começou a desfiar suas mágoas, quando o outro o interrompeu:

— Sei de tudo. Devo dizer-lhe, a bem da sua felicidade: não tente julgar ninguém. Perdoe, José. Receba sua filha de braços abertos e ensine-lhe amá-lo mais pela bondade e pela compreensão do que pelo temor. Abrace seu filho e busque orientá-lo com amor e segurança, rumo à vida honesta que sempre viveu!

O velho fazendeiro estava boquiaberto. Um juiz a dizer-lhe que pactuasse com o erro, que perdoasse! Apenas pôde articular:

— E a justiça? Não estarei sendo conivente com o erro? Não é possível perdoar! Minha formação moral o impede!

— A Deus compete a verdadeira justiça. Acorde para a realidade, José. Esqueça os vícios do passado! Assim como eu, você foi juiz em encarnação anterior. Rigoroso e cumprindo à risca a lei humana, cometeu muitas injustiças. Condenou um pobre homem que furtara para dar pão aos seus filhos a alguns anos de prisão. Depauperado, o infeliz não suportou a prisão e veio a desencarnar pouco depois, deixando órfão um filho menor que, só e abandonado, fraco e irrefletido, entregou-se a toda série de loucuras, desencarnando ainda jovem e em precaríssimas condições. A esposa, para manter o lar, então abandonado, escorregou para a prostituição, desesperada e ainda incapaz de vencer honestamente sua prova.

Fez ligeira pausa, observando serenamente a fisionomia de José Justino que o remorso o ensombrava. Continuou:

— Deu-lhe o Senhor nova oportunidade de refazer o mal praticado recebendo em seu próprio lar, como seus filhos, a esposa e o filho do homem que rigorosamente condenou, para que, com amor e paciência, compreensão e tolerância, lhes ensine novamente o caminho certo. Quer agora fugir à sua responsabilidade?

José Justino, envergonhado, sentindo-se arrependido, deixou pender a cabeça, entristecido.

O outro, abraçando-o com carinho, continuou:

— O respeito é uma grande virtude quando advém do amor e da confiança mútuos. Mas, quando imposto pelo terror e pela rigidez de princípios, torna-se veículo da hipocrisia e da desilusão. Aprenda a perdoar, José, e tudo se resolverá.

No dia seguinte, ao acordar, José Justino surpreendeu a esposa ao pedir-lhe humildemente perdão e mandá-la buscar os dois filhos.

Marcos Vinícius

10

O GENUFLEXÓRIO

Franzino, magro e miúdo, o menino, sentado a um canto da igreja, tinha os olhos fixos, não na pompa dos altares, não na púrpura carmesim dos oficiantes, não na majestade das imagens mudas e asmáticas, mas num luxuoso genuflexório, colocado na antessala do altar-mor.

Tratava-se de uma peça antiga e artisticamente trabalhada. De madeira negra e estofado vermelho, trazia já a forma dos muitos joelhos sustentados.

A missa era de gala, e o burburinho dos fiéis, grande. Entretanto, nem por um instante o jovenzinho desviou os olhos do sóbrio móvel.

Quando o ofício terminou, sua mãe, indiferente ao interesse não observado, chamou-o diversas vezes. Como não obtivesse resposta, puxou-o decididamente pela mão, arrastando-o quase nave afora.

Entretanto, funda mudança revelou o menino daí por diante. Sempre que podia voltava à igreja, de onde dificilmente conseguiam tirá-lo. Lá, permanecia quieto, mudo, ensimesmado, olhos apenas no antigo genuflexório.

A princípio, sua mãe, católica praticante, achou bom que o menino se interessasse pela igreja, mas, com o correr dos dias, notando a singularidade do fato, sua alegria transformou-se em preocupação. A situação chegou a tal ponto que nem a proibição da mãe o detinha. Fugia assim que deixavam de vigiá-lo e ia à igreja.

Um dia, depois de encontrá-lo mais uma vez na igreja em muda contemplação, sua mãe, transtornada, pediu conselho ao padre que, profundamente intrigado, o interrogou:

— Meu filho, o que vem você fazer sempre na igreja?

O menino, sem desviar o olhar do objeto do seu enleio, respondeu:

— Olhar, padre.

— Olhar? O quê?

— Aquele lugar onde todos os dias o senhor ou o monsenhor se ajoelha.

— O genuflexório?

— Sim. É esse o nome?

— É. Você gosta dele?

— Não sei...

— Olhar!

O interrogatório seguiu por aí afora, sempre versando sobre esse tema, findo o qual tanto o padre quanto a mãe estavam mais preocupados e intrigados ainda.

Levando a senhora para a sacristia, o padre falou-lhe de desequilíbrio emocional, de ideias fixas, e aconselhou-a a ir a um bom psiquiatra.

A pobre senhora sentiu-se ainda mais angustiada diante da sombria perspectiva. O psiquiatra procedeu a rigoroso exame e comprovou que a sanidade e o desenvolvimento mentais eram normais no garoto, e aconselhou a mãe a dar-lhe por algum tempo a liberdade de ir olhar a peça de sua predileção.

Todavia, o padre sentiu-se incomodado com a presença na igreja daquela figura imóvel, olhos fixos, e ao cabo de certo tempo, em reunião com os pais do menino, resolveu emprestar-lhe a velha peça até que o rapaz se curasse da mania.

Foi assim que o menino levou o genuflexório para casa. Seus olhos brilhavam quando o colocou em seu quarto. Todos os dias, passava horas de joelhos, olhos fixos, sem nada ver.

No paroxismo da angústia, não se conformando com a situação, foi um dia sua mãe orientada a procurar um centro espírita.

Desconfiada e envergonhada, com receio de ser vista pelos conhecidos, disposta a mais aquele sacrifício supremo, com o coração descompassado, foi à casa de conhecido espiritista que, inteirado do caso, prometeu-lhe realizar uma reunião em sua casa, levando alguns companheiros.

Na noite aprazada foi realizada a sessão, e através de um dos médiuns presentes, manifestou-se imediatamente o espírito de uma mulher chorosa e aflita.

Chamava por Marcelo, dizendo que novamente iam separá-los.

O menino, que presenciava a cena, caiu em pranto convulso, numa reação tão inesperada quanto sua apatia era acentuada. Falava aos berros:

— Não! Não! Não!

No ambiente emotivo que se formou, após serena prece do dirigente da reunião, os ânimos foram se acalmando. E, enquanto se ouviam ainda os soluços incontidos do menino, manifestou-se através de um dos médiuns a suave voz de um mentor espiritual:

— Tranquilize-se, Marcelo. Tenha confiança nos desígnios do Senhor. Completou hoje parte da tarefa que lhe competia desempenhar em atendimento aos seus compromissos do passado. Quando em encarnação anterior desposou formosa donzela, amava-a com profundo sentimento. Porém, quando por circunstâncias naturais e necessárias à evolução espiritual de ambos ela adoeceu e morreu, três anos depois, grande foi o seu sofrimento. Não querendo aceitar a vontade sábia do Pai, mandou construir na rica capela do seu castelo uma urna especial, onde colocou o seu corpo, e lá, durante o resto da sua vida na Terra, permaneceu em oração e contemplação constante, como se ela fosse o próprio Deus! Amando-o também e sem forças para afastar-se do local, fortemente atraída por seu pensamento afetivo, o espírito dela permaneceu ao seu lado, surdo ao apelo e aos conselhos dos amigos do plano espiritual. O tempo foi passando e você, também velho e alquebrado, vencido por incurável moléstia, passou para a vida maior. Entretanto, por circunstâncias próprias e características, foi, ainda em sono letárgico, após a morte do corpo físico, levado para longe por amigos dedicados. Lembre-se de que, quando recuperou a consciência, rogou permissão para ver a esposa bem-amada. Entretanto, somente o conseguiu depois de muito esforço no campo moral e muito trabalho em benefício do próximo. Porém, foi encontrá-la ainda jungida, não mais ao seu próprio corpo, que não era o móvel do seu interesse, mas ao genuflexório que comprou e colocou junto ao seu túmulo na capela, onde permanecia durante horas imantado às suas lembranças. Sem poder vê-lo nem saber o que lhe havia acontecido, ela se ligara ao genuflexório, único elemento que no seu entender deveria levá-la a você novamente. Acompanhara-o por toda parte durante todos aqueles anos, sempre aguardando ansiosamente o reencontro. Não o ouviu quando procurou convencê-la da inutilidade do seu gesto, o quanto fez redundou inútil. Reconhecendo-se culpado pela situação, se dispôs ao sacrifício da reencarnação para libertá-la da terrível prisão. Viu o velho genuflexório na igreja e sentiu de imediato a ligação que se estabeleceu entre você e ela, que não o viu como criança que ainda é, mas como a figura do seu esposo muito amado. Entretanto, meu filho, vinha para libertá-la e não para imantarem-se os dois ao passado distante. Ore conosco para que ela possa libertar-se agora do terrível cativeiro, tão longo quanto doloroso, e assim estará livre para continuar suas tarefas em outros campos. E, um dia, quando ambos disciplinarem os sentimentos, aprendendo a caminhar rumo à libertação e à felicidade, estarão reunidos para sempre, amando-se com infinito e verdadeiro amor.

O garoto cessou de soluçar e em voz baixa fez profunda prece por aquela que amava.

A resposta foi apenas um murmúrio, mas alguns ouviram:

— Adeus, Marcelo. Compreendo!

E no dia seguinte, sem muitas explicações, o padre, intrigado, recebeu de volta o velho genuflexório.

Marcos Vinícius

11

A LENDA
DOS URUÇUS

Historiando uma lenda antiga, conseguimos recompor uma pequena parte do fragmentário conto dos uruçus.

Havia, muitos anos passados, à margem do Araguaia, uma tribo de índios chamada Itumanim. Era uma tribo misteriosa e pouco numerosa. Vivia nos cerrados, seus membros organizados em pequenas cabanas de palha, alimentando-se de peixes e frutos.

Jamais se aproximavam de outras tribos e fugiam tacitamente ao contato com os brancos.

Porém, quando havia lua cheia, tomavam suas canoas e deslizavam rio abaixo, quietamente, encantados com a beleza da paisagem.

Certa vez, uma expedição que demandava o Nordeste embrenhou-se naquelas matas e, por inexperiência dos seus condutores ou por escassez de recursos, jamais chegou ao seu destino.

Atacados pelas febres comuns naqueles sítios, alguns vieram a morrer, e os outros, sem víveres ou medicamentos, um a um, pereceram, espalhando-se ao redor uns aqui, outros ali.

Quando os últimos sobreviventes jaziam por terra, os itumanins começaram a chegar.

Desconfiados, lança em riste, aos poucos e constatando a inexistência de inimigos, a curiosidade foi mais forte, obrigando-os a abrir os pacotes atirados ao solo, entre risonhos e surpresos.

Eis, porém, que um choro de criança feriu o ar.

Assustaram-se os silvícolas. Procuraram e, a poucos metros, depararam-se com a cena dolorosa: uma mulher, estendida no chão, cabelos desalinhados e empastados de suor, olhos embaciados e o rosto marmóreo, conservava ainda nos braços uma criança de dois ou três meses aproximadamente, como se quisesse protegê-la infinitamente.

Paralisaram-se os recém-chegados, indecisos. A criancinha chorava aflita, desamparada.

Para eles era um branco, um ser quase lendário, perigoso.

Foi aí que o inesperado ocorreu. Mani, a jovem índia, correu para ela e, num gesto rápido, tomou-a nos braços, aconchegando-a ao peito.

Havia dois dias tinha perdido o filho nascituro e, diante da revolta dos seus, aproximou o seio farto da boquinha sedenta e aflita.

Os lábios gulosos apertaram-se no seio moreno e começaram a sugar gostosamente.

Ninguém ousou tirar-lhe a criança, porém o desagrado foi geral. Temiam a má sorte, não podiam desrespeitar a lei da tribo. A criança intrusa precisava morrer.

Interpelaram Mani, que brincava com os cabelos suaves e louros da criança, encantada com a beleza de sua face branca e rosada.

Negou-se ela a entregar o menino e, vendo que lho queriam tirar à força, ganhou o mato, embrenhando-se nele.

Buscaram-na em vão. Resolveram esperar na aldeia o seu regresso. Sabiam que voltaria.

Mas Mani não voltou. Desapareceu e ninguém mais a viu.

Contam os caboclos que costumam atravessar aquelas paragens à noite, que altas horas, quando a lua é cheia, Mani aparece em uma canoa descendo o rio, cantando feliz com seu filho branco nos braços.

E as jovens esposas que esperam seu primeiro filho dizem que oram por ela, que costuma socorrer as crianças brancas, visitando-as nas horas mortas da noite.

Eis a lenda hoje fragmentada que a história conta, mas sabemos que em cada mulher há sempre um coração de mãe, que é sempre amor, pulsando pela fragilidade do ser que Deus colocou em seus braços.

Gustavo Barroso
(Homenagem ao Dia das Mães)

12

A CRISE

Certo companheiro, profundo estudioso da doutrina consoladora do Espiritismo, vivia satisfeito com suas conquistas no campo do seu conhecimento.

Havia vários anos intentava a conclusão de um trabalho em que pudesse atender aos imperativos da divulgação doutrinária. Elaborara, pacientemente, após alguns anos de pesquisa e dedicação, um livro, onde grafara a experiência que conseguira armazenar.

No seu entender, devia o livro servir de exemplo a todos aqueles que desejassem seguir com aproveitamento maior e mais rápido o caminho da libertação.

Naquele dia, ao encerrar a tarefa, sentia-se feliz. Podia esperar a morte com a consciência tranquila.

Saiu para o trabalho cotidiano. No caminho, ia meditando sobre os detalhes de sua obra, na análise evangélica em confronto com os fundamentos doutrinários. Nada esquecera, nem um detalhe.

A caridade era tratada em múltiplas facetas, às conquistas das virtudes dedicara grande parte do seu trabalho, salientara a necessidade do esforço próprio em capítulo bem cuidado. E, pensava ele, ao desencarnar, colheria todo o benefício do seu laborioso trabalho.

Tão imbuído ia desse ideal que foi bruscamente chamado à realidade, sentindo que uma mão ligeira se infiltrava de leve no bolso de seu paletó, dele subtraindo a carteira.

Num minuto, nosso companheiro segurou a mão atrevida e, como ela se lhe escapasse no torvelinho da rua, gritou como louco:

— Pega, pega ladrão!

Alguns populares conseguiram agarrar o dono da criminosa mão. Apareceu o guarda civil, e dentro de alguns minutos nosso companheiro se encontrava em uma delegacia.

Relatou os acontecimentos, dizendo-se vítima da má-fé e do roubo. O punguista era conhecido no local como habitual protagonista de cenas idênticas.

Ele saiu de lá ruminando ainda o inesperado acontecimento.

Sentindo-se indisposto, ia distraído e ensimesmado, a ponto de violenta freada demonstrar-lhe que sua vida estivera por um fio. Por mais que tentasse, não conseguiu tranquilizar o espírito, e à noite, já de regresso ao lar, tomou do *Evangelho Segundo o Espiritismo*. Abrindo-o, leu: "Fora da caridade não há salvação".

Caiu em si. Apresentou-se-lhe a realidade. Sentiu o problema daquela criatura envolvida nos dolorosos acontecimentos, fruto da própria intolerância do homem e do desajuste social. Corou de vergonha.

Percebeu que, por mais que pensasse estar equilibrado, por mais que pensasse estar experiente, bastavam alguns minutos de invigilância para demonstrar-lhe a face oculta do seu caráter, trazida à tona pela crise momentânea que não soubera vencer.

Resolveu, então, rever toda sua obra, compreendendo que ainda não estava maduro para escrevê-la, e o conhecimento só é suficientemente prático e aproveitável se alicerçado na própria experiência.

Marcos Vinícius

13

O COMPROMISSO

Maurício de Albuquerque, homem fino, ilustrado e de posição destacada na sociedade, sentia-se entediado. Não havia capricho que não houvesse conseguido realizar e, sequioso de novas emoções, ingressou na política.

— A política — costumava dizer — é carreira nobre! Vamos trabalhar pelo povo, devolvendo à sociedade o que dela recebemos na vida.

E, com argumentos sólidos, construídos com base na vasta cultura social que detinha, Maurício empolgava nos comícios. Sabia falar ao sentimento do povo e não havia quem, ao ouvi-lo, deixasse de pensar em sua figura elegante e bem cuidada.

Eleito deputado com larga margem, sentiu que o cargo era insignificante e desejou mais. Argumentava com os amigos:

— Um deputado possui poder relativo. Para fazer o bem que almejo, preciso ter mais poderes. Devemos trabalhar para que eu possa subir, a fim de ajudar a humanidade sofredora!

Por isso, desde o primeiro dia de sua eleição, não pensou senão nas eleições para vice-prefeito que se avizinhavam. Tinha projetos de vulto! Planos grandiosos! Não apresentou nenhum projeto na Câmara. Não lhe interessavam pequenos debates. Queria muito mais.

Atendia à soma sempre crescente de correligionários, a quem tudo prometia quando pudesse auferir melhor posição.

Vendo crescer sua popularidade, Maurício calmamente enfrentou e venceu o pleito que disputou. Foi eleito vice-prefeito. Contudo, a vitória mais uma vez não o dispôs ao trabalho.

— Um vice-prefeito pouco pode fazer, é mera figura decorativa. Eu quero ser prefeito! Somente assim poderei executar nossos planos administrativos.

Foi aplaudido com entusiasmo pelos companheiros.

Maurício não se detinha para pensar. Não exercera nenhum dos cargos para os quais tinha sido eleito. Ocupava-os solenemente, mantinha pose adequada, mas não fazia senão propaganda eleitoral.

Certo dia compareceu a seu escritório pobre mulher, malvestida, tendo ao colo pálida criança.

Trazia nos olhos a tragédia da miséria física e moral. Maurício quis escapar, mas a visitante cortou-lhe a saída, dizendo suplicante:

— Doutor, precisamos do senhor!

Contrariado, tanto mais que da infeliz criatura exalava um cheiro desagradável, de mofo, fumaça, suor, Maurício objetou:

— Não posso atendê-la agora. Volte outro dia.

E, com os olhos aflitos, procurava a secretária invigilante que lhe permitira o acesso.

— Por favor, doutor! Não posso esperar mais.

— Entenda-se com minha secretária. Preciso sair.

E, afastando-a com brutalidade, saiu apressado. Pensou assim libertar-se dela, mas a cena repetiu-se no dia imediato.

Irritado, advertiu a secretária que não permitisse de forma alguma a presença da incômoda criatura.

— Não a vi entrar, senhor — retorquiu, admirada, a secretária.

— Pois entrou — chasqueou Maurício, nervoso. — Que isto não mais se repita!

Porém, o caso repetiu-se no dia subsequente. Furioso, Maurício chamou a secretária, mas, quando ela entrou na sala, a estranha mulher tinha desaparecido.

Olhando-o agastada, a secretária sugeriu:

— O senhor trabalhou demais na última campanha. Não seria melhor descansar por alguns dias?

— Ora, senhorita, não brinque. A mulher deve ter-se escondido em algum lugar.

Ambos procuraram, inutilmente.

— Foi-se embora — resmungou ele aliviado. — Melhor. Não tenho tempo a perder com mendigos.

Entretanto, no dia imediato, quando entrou em seu gabinete, já lá encontrou a desconhecida. Dessa vez estava acompanhada por dois homens malvestidos e taciturnos.

Desejoso de acabar com a situação desagradável, resolveu atendê-la rapidamente. Suspirou resignado e inquiriu:

— O que deseja, afinal?

— Nós votamos no senhor. Estamos esperando o cumprimento das promessas que nos fez quando candidato a deputado. O senhor disse que cuidaria dos pobres, construiria hospitais, escolas profissionais, daria emprego aos humildes. Estamos esperando.

Extremamente agastado por ver-se advertido por semelhante criatura, adotou um tom paternal para encobrir a irritação e respondeu:

— Como? Acaso não tenho planejado grandes coisas? E as farei assim que for prefeito.

— Mas, senhor, meu marido não pode esperar. Está desempregado. Meu filho doente, eu enfraquecida, como fazer?

— O problema não é meu. Faço o que posso! Agora saiam, deixem-me trabalhar.

Eles se foram, mas Maurício tornou a encontrá-los em seu gabinete à espera no dia seguinte e com eles conversou rudemente, ouvindo-lhes as reivindicações.

A cada dia que entrava no gabinete, encontrava-os reunidos, sendo que cada vez seu número aumentava. Outros descontentes a eles se reuniam, elevando cada vez mais o número de queixosos.

Querendo pôr fim à situação desagradável, discutia com a secretária, ordenando-lhe que vigiasse a porta de entrada para evitar tais visitas. Porém, tudo inútil. Ao entrar, sempre os encontrava à espera, em quantidade crescente, exigindo o cumprimento das suas promessas eleitorais.

Até que um dia quis enxotá-los à força, dando murros a torto e a direito, depois de despedir a secretária em altos brados.

Foi então que, diante da moça trêmula, entraram alguns enfermeiros e, em poucos segundos, dominaram Maurício, colocando-o em camisa de força.

Diante do médico, surpreso, a secretária esclareceu, ainda nervosa:

— Todos os dias falava sozinho, doutor, e zangava-se comigo porque eu deixava entrar seus imaginários personagens. Hoje foi tomado de verdadeiro acesso de loucura. Por isso telefonei ao senhor. Coitado do doutor Maurício! Foi excesso de trabalho, doutor, enlouqueceu de tanto trabalhar!

E, voltando-se, ainda viu o olhar colérico de Maurício conduzido em ambulância, e sua voz dizendo, convicta:

— Serei o prefeito! Todos votarão em mim. Vou trabalhar em benefício do povo!

A porta fechou-se, e logo a sirene, abrindo caminho, apagou as palavras eloquentes de Maurício.

Marcos Vinícius

14

A CLARINADA

José Nepomuceno da Silva, homem maneiroso e serviçal, sempre que diante dos amigos gostava de contar casos pitorescos e, às vezes, no auge da narrativa, escorregava ligeiramente para a senda do exagero, acelerando e aumentando a realidade, na ânsia de despertar admiração dos ouvintes complacentes.

Assim, vivia colecionando histórias e a ninguém desculpava pelos erros do caminho, pelo simples prazer de poder divulgar o acontecimento.

Era por isso temido e aborrecido por muitos, mas sempre havia os que estavam dispostos a ouvir, divertindo-se com seus chistes irônicos.

Dona Emerenciana, sua esposa, espírita convicta, não gostava da atitude do marido, descrente e sem religião, fazendo o que para ela era mais sagrado motivo de comentários pouco construtivos a terceiros.

Advertia-o procurando fazê-lo ver que não se brinca

com coisas sérias, mas José, com risinho de superioridade, objetava:

— Ora, o que é que tem? Por que não posso contar os casos dos "espíritos" aos meus amigos? — e acrescentava, malicioso, provocando hilaridade geral: — Eles nunca se importaram!

— Algum dia, quando menos esperar, você sentirá que com essas coisas não se brinca!

Ao que ele tornava, irônico:

— Quando soar a clarinada para mim, obedecerei.

E os amigos, maliciosos, balançavam a cabeça, divertidos.

Certo dia, porém, José não se sentiu bem. Sua cabeça estava pesada e parecia-lhe impossível reagir ao sono que o acometia. Sem saber o que fazer, teve ainda tempo de aproximar-se de um sofá e caiu sobre ele, desfalecido.

Gritaria, pedidos de socorro aos vizinhos, a presença do médico que, aborrecido, declarou após o exame que José estava em coma: fora acometido de um colapso.

Durante algum tempo o facultativo tentou ouvir-lhe as batidas cardíacas, em vão. Diante dos familiares estarrecidos, declarou que José estava morto.

Imediatamente, como ocorre em tais circunstâncias, os amigos mais íntimos procuraram tomar as providências legais e, reunindo a documentação, saíram para tratar do sepultamento, ao mesmo tempo em que algumas senhoras piedosas providenciavam-lhe o banho e a preparação para o velório.

Emerenciana chorava a um canto, procurando orar pelo amado companheiro. Havia desolação e angústia.

Contudo, José não havia propriamente perdido os sentidos. No primeiro momento desfalecera de todo, mas recobrara o entendimento e, embora não pudesse ver, ouvia tudo quanto se passava ao seu redor.

Desesperado, tentou fazer algum movimento que demonstrasse estar vivo. Inútil. Não conseguiu. Queria gritar, mas a voz não lhe saía; mover-se, mas o corpo não lhe obedecia. Parecia-lhe estar vivendo terrível pesadelo. Horrorizado, percebeu que estavam se preparando para enterrá-lo.

Foi-lhe indescritível suplício o banho que as piedosas mulheres lhe ministraram, quando o horror misturava-se à vergonha.

Então, em meio a sua desesperação, conseguiu vislumbrar um homem que, sereno e digno, parecia esperar por ele.

Ao seu grito interior, o desconhecido respondeu:

— José, na realidade, é dura a lição. Todavia, procure extrair dela o maior benefício possível. A morte nas circunstâncias em que se encontra será um pesado sofrimento. Procure aproveitar o tempo.

José, sem compreender bem, procurou responder-lhe, mas o desconhecido nada mais lhe disse. Levantou uma das mãos, colocando-a sobre sua atormentada cabeça. Como por encanto, José passou a enxergar, como em névoa rarefeita, tudo o que se passava ao seu redor.

Viu, sem que pudesse intervir, a azáfama dos vizinhos na preparação da sala; viu a si mesmo vestido de preto, imóvel, mãos cruzadas sobre o peito. Seu desespero era intraduzível, mas chegou ao extremo quando trouxeram os paramentos e o caixão.

Foi então que se lembrou de Deus. Orou em pensamento como havia muito não fazia e, ao término da sentida prece, o desconhecido dirigiu-se à sua esposa, segredando-lhe algo aos ouvidos.

Imediatamente, dona Emerenciana levantou-se dizendo:

— Não me conformo. Meu José não pode estar morto. Quero outro médico, já! Não deixarei enterrá-lo sem que outro médico venha vê-lo!

Apesar de céticos, ninguém ousou negar esse desejo à viúva, e novo médico compareceu à casa.

Depois de exame cuidadoso, articulou:

— Não estou certo, minha senhora, mas acredito tratar-se de catalepsia.

Imediatamente saiu, voltando pouco depois com um medicamento, que injetou no corpo cadaverizado de José.

Ante a estupefação geral, o marido de dona Emerenciana conseguiu ligeiro movimento de reação, demonstrando que ainda vivia.

Desde então, ninguém nunca mais ouviu José contar casos alheios. Para penitenciar-se, contava sempre o seu, ao qual deu o nome simples e elucidativo de clarinada.

Marcos Vinícius

15

O ESBARRO

Certo dia, eu, por acaso, caminhava descuidado pelas ruas do Rio de Janeiro, quando encontrei, num esbarro comum em meio aos transeuntes, meu amigo José.

Transpirava por todos os poros e, ao ver-me, desfez a careta de esforço penoso, desmanchando-se em alegre sorriso.

Depois dos abraços e cumprimentos, contou-me que ia com pressa para a residência de sua sogra, que estava passando mal, vítima de moléstia incurável.

Apesar da sua pressa, ainda tivemos tempo para uma cervejinha gelada, e entre um gole e outro José confidenciou:

— Gustavo, esse negócio de morte em família é uma amolação tremenda. Já é a terceira vez nestes quinze dias que sou chamado às pressas para vê-la nas últimas. Entretanto, quando é quase certo o desenlace, minha sogra parece que recebe novo alento e torna a melhorar. Já estou cansado de ir e vir nessa expectativa, consolando minha mulher chorosa, escutando opiniões das comadres e vizinhas entendidas quanto ao caso. Você me conhece. Não é que eu deseje a morte da dona Sinhá, que sempre foi muito boa, mas estou cansado. Bem que ela podia deixar de sofrer!

Sorri, observando a fisionomia vermelha e suarenta de José, obrigado a carregar o peso dos seus 110 quilos ao locomover-se.

— Não se preocupe, José. O dia dela há de chegar... — e acrescentei, mais à guisa de consolo: — O nosso também!

Ele fez uma careta:

— Espero morrer de velho, Gustavo, quando a vida me cansar.

Terminamos a cerveja, despedimo-nos, e foi a última vez que vi José com vida, porque, conforme soube mais tarde, logo após nos despedirmos, ao atravessar uma rua movimentada, foi atropelado e morto por um automóvel.

A notícia chocou-me profundamente na ocasião, mormente porque conversáramos sobre a morte. Sua sogra, como ele previra, melhorou mais uma vez e durou ainda alguns meses.

Tínhamos sido colegas de ginásio e inseparáveis nos folguedos da juventude. Quando me bacharelei, ele, por sua vez, cursava o terceiro ano de engenharia, não vindo a formar-se por razões financeiras. Casamo-nos. Eu primeiro, e ele, pouco depois. Por uma decorrência natural das nossas ocupações, espaçamos nossos encontros. Enquanto eu militava no jornalismo e na advocacia, ele trabalhava para uma grande firma no departamento técnico.

José morreu aos 45 anos, deixando esposa e dois filhos inconsoláveis.

Quando adoeci, muitos anos depois, a lembrança do meu amigo José acudia-me constantemente, e eu julgava estar abalado pela fraqueza provocada pela doença. Assim, vencido, prostrado por moléstia invencível, fui perdendo as forças, até que compreendi que algo de inusitado se passava comigo.

Parecia-me estar sob o efeito de um soporífero, desses que nos tolhem os movimentos, mas permitem ainda o funcionamento do raciocínio.

Longo tempo permaneci nesse estado, lutando para conseguir recuperar meu equilíbrio, de posse de mim mesmo. Às vezes, tinha a impressão de voltar aos dias da minha juventude, na revivescência de fatos emotivos; outras, caminhava entre pessoas estranhas e ocupadas que nem sequer se apercebiam da minha presença.

Até que um dia, num desses passeios, num esbarro mais violento, reconheci meu amigo José. Estava um pouco diferente, mais sério e composto, mas o mesmo sorriso amigo distendeu seu rosto quando me viu.

"Estou sonhando de novo", pensei. O Zé já morreu!

— Você está enganado, Gustavo. Sou eu mesmo!

— vendo minha estupefação, ajuntou: — Vamos conversar em um local sossegado.

Reparei que estávamos na mesma rua onde nos havíamos encontrado pela última vez. Instintivamente procurei com os olhos o bar onde havíamos estado juntos.

— Lá não — atalhou José. — Vamos à praça, mais adiante.

Caminhamos e nos assentamos em um banco do jardim.

À medida que caminhávamos, eu me sentia revigorado e lúcido, como quando gozava de saúde, e por isso mesmo o raciocínio mais fácil não entendia o nosso encontro.

— Olhe-me bem!

Olhei.

— Você está bem-disposto. Mas essa marca na testa, o que foi isso?

— Foi do acidente. Mas não importa. O certo é que estamos aqui, e preciso contar-lhe uma coisa extraordinária!

— Espere... não posso compreender por que estamos aqui! Você está morto! Fui ao seu enterro!

— E eu paguei-lhe na mesma moeda. Assisti ao seu com todas as pompas e rituais.

Senti um violento choque, ao mesmo tempo em que os males físicos que me afligiam voltaram a molestar-me:

— Você quer dizer que eu...

— Está morto, meu amigo! Ou melhor, está vivo, apesar de o seu corpo ter morrido há quase um ano.

Acabrunhado, percebi que ele tinha razão e, ao mesmo tempo, senti uma pena infinita de mim mesmo. Meu amigo sorriu e esclareceu:

— De há muito venho desejando este encontro entre nós, mas você fugia de mim sempre que o procurava.

Baixei a cabeça, confuso: nunca gostara da presença de mortos, seja de amigos ou familiares. Parecia-me superstição crer na existência deles.

— Foi quando — continuou meu amigo — lembrei- -me do esbarro que tínhamos dado na Avenida Rio Branco, na última vez em que nos vimos na Terra, e não tive dúvidas, utilizei o recurso. Parece que consegui o objetivo.

Levantei os olhos para ele e, vendo-o tão bem- -disposto e alegre, concluí que a vida que me esperava não podia ser penosa. Retruquei mais conformado:

— Faz tanto tempo que nos separamos e você ainda se lembra de mim. É um conforto vê-lo neste transe difícil.

— Outros estão em piores condições. Nós podemos considerar-nos felizes.

— Foi muito dolorosa sua morte? Se soubesse como fiquei abalado com o ocorrido!

— No momento mesmo do acidente nada senti, para lhe ser franco. Entretanto, foi preciso também um esbarro para que eu acordasse. Minha sogra veio até onde eu me encontrava e sua presença produziu em mim a concatenação de ideias que estavam esparsas em minha mente pelo choque. Vendo-a, liguei meu pensamento à minha desastrosa ida à sua casa e, percebendo-lhe o estado de saúde bom, renovado, no primeiro instante irritei-me porque julgava que mais uma vez me houvessem chamado inutilmente. Quando ela me contou a realidade, não quis acreditar, precisando ir com ela ao cemitério para ler seu epitáfio e o meu. Entretanto, Gustavo, minha surpresa não foi somente essa. Muitas outras me estavam reservadas, e certamente a você também surpreenderão.

Parecia-me incrível tudo quanto ouvia e, notando meu estado de perplexidade, explicou:

— É, meu amigo, não é fácil para você agora encontrar o desfecho para esta história, tão diferente das que costumava escrever, mas dela eu faria uma simples crônica despretensiosa e a intitularia:

"A história de um providencial empurrão", ou apenas "Um caso de associação de ideias pela psicanálise aplicada", método que se usa até no além-túmulo!

Gustavo Barroso

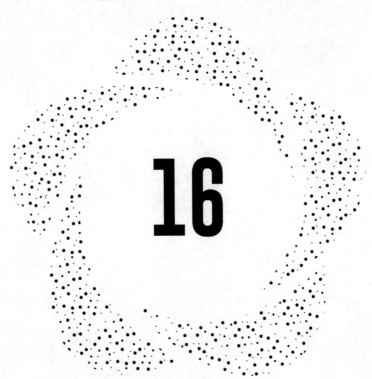

A PUNIÇÃO

Jarbas de Aguiar era um homem profundamente honesto. Trabalhava duramente valorizando o minguado salário que se esvaía diante das necessidades numerosas de sua família.

Havia catorze anos exercia o cargo de contramestre numa fábrica e era estimado pelos patrões por sua energia para com os operários, vigiando-os no andamento do trabalho sob sua responsabilidade.

Por ser homem de rígidos princípios, não tolerava o mínimo deslize, exigindo sempre o máximo de todos.

Certo dia, chamado à sala do gerente, foi informado de que havia sido descoberto um desvio de material que, por sua particularidade, podia-se presumir que tivesse ocorrido na seção que Jarbas dirigia.

Profundamente chocado, sentiu-se no dever de garantir ao seu chefe que puniria energicamente o culpado, entregando-o à polícia.

O gerente, entretanto, homem de boa índole, esclareceu:

— Não quero escândalo. Não o culpo pelo ocorrido, essas coisas podem acontecer. Todavia, precisamos descobrir quem são e como realizam o trabalho. Despedirei o culpado e tudo estará terminado. Afinal, descobrimos logo e os prejuízos ainda são pequenos.

Jarbas deu um pulo, aproximando-se mais da mesa do seu chefe:

— Isso é que não! O senhor precisa punir o culpado! Precisamos dar exemplo aos demais. A impunidade agasalha e estimula o crime. Sou de opinião que o senhor deve avisar a polícia, e o culpado ser preso publicamente, para servir de lição aos demais.

— O senhor acha?

— Claro! Se todos os que erram fossem punidos com severidade, certamente cuidariam de não errar mais. Depois, o caso foi na minha seção, também sou responsável. Peço-lhe para recorrer à polícia.

— Está bem, se insiste. Mas chamarei um amigo meu que é investigador e fará tudo particularmente.

Via-se-lhe no semblante a contrariedade por assumir tal atitude.

Fingindo tudo ignorar e admitindo o investigador como operário comum, trabalhando com os demais, não foi difícil descobrir o culpado e surpreendê-lo em flagrante.

Imediatamente prenderam-no e dirigiram-se ao gabinete do gerente. Tratava-se de um jovem de dezoito anos, de aparência humilde, que, pálido, não encontrava palavras para explicar-se. Fazia pouco mais de um mês que estava na firma.

O gerente olhava o rapaz com pena e desagrado. Jarbas, que os acompanhara, censurando o jovem asperamente, continuava:

— Um homem forte como você! Devia se envergonhar! Emporcalhar-se com uma ninharia dessas! Agora vai passar bons dias descansando na cadeia, que é o lugar adequado para um ladrão como você!

Assustado, profundamente humilhado, o jovem não ousava levantar o olhar.

— E então? — inquiriu o gerente.

O moço não respondeu.

— Não pode explicar sua atitude?

Aturdido, o rapaz balbuciou:

— Gosto de uma moça. Queria me casar com ela.

— Isso não é motivo, é desculpa — interrompeu Jarbas.

O jovem, percebendo o bondoso olhar do gerente, voltou-se para ele e gritou, desesperado:

— Por favor! É verdade! Podem crer. Eu queria o dinheiro para me casar!

O gerente, cujo filho andava com a mesma idade, comoveu-se subitamente.

— Casar-se! Tão jovem!

Levantando a cabeça com certa altivez, o jovem respondeu:

— Sim. Embora não pareça, sou um homem de bem. Eu preciso me casar com ela. Vai ser mãe e eu sou o responsável!

Parecendo meditar profundamente, o gerente tornou:

— Que idade tem ela?

— Dezesseis!

— Não lhe ocorreu que poderia pedir auxílio a outras pessoas e escolheu o pior caminho?

— Creio que tem razão. Mas eu estava desesperado. A família dela não sabe de nada. É gente direita, e ela tem medo das consequências. Íamos fugir juntos.

Vendo que seu chefe se abrandava, Jarbas interveio:

— Não acredito. Se fosse moça direita, não estaria nessa situação. Se a família dela fosse honesta, não deixaria a filha às soltas por aí. É essa liberdade em demasia que aniquila com a honra das famílias. Os pais são culpados por não saberem dar exemplo a seus filhos! É melhor terminar logo com isto. Todo crime deve ser punido! Portanto, tomei a liberdade de avisar o guarda do posto. Deve ser ele que chega.

De fato, ouviam-se passos do lado de fora.

Pressuroso e fingindo não ver o olhar contrariado do chefe, correu para abrir a porta. Parou, surpreso. Uma moça soluçando, de olhos vermelhos, entrou correndo e, abraçando o jovem em desespero, disse:

— Walter, soube o que aconteceu. Também sou culpada. Eu que tive a ideia. Se você for preso, também devo ir.

Jarbas, olhos arregalados, pálido e trêmulo, não tinha mais argumentos, nem para dizer que aquela moça era sua própria filha!

Marcos Vinícius

17

A GRAVATA

Luxuoso carro parou silenciosamente frente ao suntuoso jardim de elegante residência.

Um jovem e refinado rapaz desceu apressado, ingressando quase a correr na casa silenciosa.

Estava irritado e aborrecido. Desagradável acidente forçara o seu regresso. Tinha pressa. Linda mulher o esperava para ir ao teatro, e o tempo inexoravelmente se esvaía. Ele sabia que se atrasaria.

A jovem era de importante família da sociedade. A conquista fora difícil. Depois de meses consumidos em reiteradas tentativas para sair com ela, pela primeira vez conseguira fazê-la aceitar aquele passeio.

Vestira-se com especial cuidado. Escolhera com atenção a camisa, a gravata fora comprada especialmente após caprichosa e demorada procura, e os sapatos foram polidos. Cuidara ao máximo de sua aparência. Sabia-a elegante e exigente.

Impaciente, aprontara-se cedo e resolvera passar pelo clube para ver alguns amigos e preencher o tempo que lhe faltava para o encontro marcado.

Estava prestes a despedir-se deles quando acontecera o imprevisto: um dos companheiros, contando uma piada, um tanto entusiasmado, apoiara uma das mãos em seu braço, exatamente no momento em que levava o cálice de aperitivo aos lábios.

O vinho derramara-se em sua gravata elegante, salpicando-a de manchas, que se espalharam rapidamente.

O jovem dera um salto de susto, tentara limpá-la, mas só fizera sujá-la mais. No auge do desespero, destratara o amigo que, encabulado, se desculpava.

Aflito, olhara o relógio: faltavam dez minutos para a hora aprazada. Como sanar a dificuldade? As lojas tinham fechado. Seus amigos estavam com roupa esporte, nenhum lhe poderia emprestar uma nova gravata.

Resolvera ir para casa trocá-la. Não podia comparecer ao encontro daquela maneira.

Saíra precipitado. Sua casa era distante e, embora pisasse no acelerador, os dez minutos se escoaram no percurso.

Entrou em casa correndo. Por sorte a porta estava apenas com o trinco. Naturalmente seus pais já se tinham recolhido.

Tal era sua pressa que não acendeu a luz. A passos largos galgou a escada, entrou em seu quarto e ligou o interruptor.

Rápido, apanhou uma gravata que lhe pareceu a mais indicada e colocou-a ao redor do pescoço. Foi aí que ouviu vozes alteradas no quarto ao lado.

Apesar da pressa, esse rumor desusado prendeu-lhe a atenção. Seus pais eram pessoas educadas e amigas. Jamais discutiriam.

Aproximando-se da porta, ouviu a voz do pai dizer, abafada:

— Garanto-lhe que não tenho mais nada em casa! É tudo.

Outra voz fanhosa e desconhecida berrou:

— Não acredito. Conheço gente da sua marca! Sei que seu filho gasta a rodo. Não se faça de bobo. Solte a gaita. Esse revólver não é de brinquedo, moço!

O jovem compreendeu num segundo o que acontecia: sua residência estava sendo assaltada. Precisava fazer alguma coisa! Aquele indivíduo era perigoso.

Sabia que o pai falava a verdade. Eles não guardavam as joias nem muito dinheiro em casa. Nervoso, apagou a luz do quarto e, sorrateiramente, foi ao escritório do pai, onde sabia existir um revólver. Fechando a porta, telefonou para o posto policial mais próximo pedindo socorro.

Apanhou a arma e certificou-se de que não estava carregada. Procurou, mas não encontrou as balas. Voltou ao seu quarto. Ao passar pela porta do aposento dos pais, no corredor, propositadamente fez forte ruído. Seu quarto ficava pegado ao dos seus pais e havia entre eles uma porta de comunicação. Fechando a porta que dava para o corredor, esperou.

Ouviu a voz assustada do assaltante:

— O que foi isso?

— Não sei... — respondeu o pai.

— Sei que não há ninguém em casa. O criado já está bem amarrado. Preciso ver...

Ruído de porta se abrindo levemente. O jovem sustinha a respiração, enquanto segurava o revólver descarregado.

Quando ouviu passos no corredor, não perdeu tempo. Abriu a porta de comunicação e rápido agarrou o pai, surpreso, e a mãe, semidesfalecida. Arrastou-os ao seu quarto, fechando à chave a porta intermediária.

Os três sustinham a respiração e não ousavam conversar.

Novos passos no corredor. Uma voz praguejava, ameaçadora:

— Onde estão? Não adianta se esconderem. Ah! Passaram por essa porta.

Ruído forte do trinco sendo forçado. O rapaz colocou-se atrás da porta com a coronha da arma pronta para abater o ladrão, se fosse preciso.

— Vou atirar na fechadura e matá-los como cães! Abram já esta porta!

Silêncio.

O assaltante deu alguns pontapés, mas a porta não cedeu.

Foi quando o ruído da sirene se fez ouvir. Correrias, tiros, e no fim a polícia conseguiu prender o meliante.

Os três respiraram aliviados. Imediatamente, após as primeiras informações dos guardas, cuidou o jovem de ministrar um calmante aos pais.

Quando tudo serenou, o pai perguntou, admirado:

— Você não ia ao teatro? Como conseguiu descobrir o que ocorria e voltar para casa?

Um tanto impressionado ainda pelos últimos acontecimentos, o moço respondeu:

— Eu não sabia de nada. O que me trouxe para casa foram apenas algumas manchas de vinho em minha gravata!

— Providencial foi o braço que as ocasionou, salvando-nos assim a vida!

— Tem razão, papai — e, lembrando-se do amigo a quem ofendera duramente, continuou: — Vou imediatamente telefonar-lhe agradecendo. Devo-lhe também desculpas. Além disso, preciso telefonar a outra pessoa explicando-lhe o sucedido. Talvez possa perdoar-me.

— Estou certo de que ela compreenderá, meu filho.

Enquanto o rapaz corria ao telefone, com mãos trêmulas ainda, o pai pegou a gravata manchada que fora atirada sobre a cama. Fitando-a pensativo, disse à esposa:

— Esta noite devemos a vida a esta preciosa e manchada gravata.

E, quando a esposa o olhava um tanto escandalizada, objetou:

— Não foi ela instrumento de Deus?

Marcos Vinícius

18

O SABER ESPERAR

Certa vez, em antiga cidade da Arábia, havia um velho mercador que vivia pobremente em humilde casebre.

Seu velho sonho era o de possuir um belo tapete com o qual pudesse adornar sua casa, enquanto vivesse, e seu túmulo, quando a morte o convocasse, inexorável.

Entretanto, não desejava um tapete comum, mas um raro e custoso trabalho que encerrasse todas as qualidades e não tivesse nenhum defeito, por mais insignificante que fosse. Havia longo tempo trabalhava para o seu sustento e economizava dos seus parcos recursos a fim de amealhar o suficiente para a realização do seu velho sonho!

Após a poupança de muitos anos, calculou que já possuía quantia animadora e resolveu procurar a peça para verificar se já estava em condições de adquiri-la. Começou então a busca.

Por suas mãos experientes e por seus olhos inquiridores passaram dezenas de peças, em uma variedade verdadeiramente prodigiosa. Todavia, se

107

algumas provocaram verdadeira explosão de entusiasmo, decepcionava-se em seguida porque logo se atentava em algum defeito.

Gastou assim longo tempo e chegou, por fim, à conclusão de que o tapete com o qual sonhava não existia. Ninguém ainda conseguira fabricá-lo. Os amigos aconselhavam-no a desistir da busca ou a contentar-se com os belos, mas imperfeitos, trabalhos que examinara. Porém, o velho mercador abanava a cabeça, resoluto, dizendo:

— Se o tapete perfeito que eu desejo não existe, é preciso fazê-lo. E, se ninguém consegue fazê-lo, eu farei!

Alguns, observando sua idade um tanto avançada, riam-se dele, acreditando-o senil. Outros tentavam dissuadi-lo, mostrando-lhe sua ignorância na arte difícil do artesanato. Todavia, o mercador, obstinado, procurou uma casa onde se fabricavam lindos e coloridos tapetes, e humildemente começou a trabalhar como aprendiz, iniciando-se na tecelagem.

Depois de algum tempo de esforço e força de vontade, julgou-se com conhecimentos suficientes. Despediu-se dos companheiros que o tinham ensinado e preparou-se para iniciar seu trabalho. Adquiriu todo o material, examinou cuidadosa e pacientemente sua qualidade, e finalmente iniciou corajosamente o trabalho.

Durante os anos que lhe restaram de vida trabalhou na confecção do seu tapete. Cada dia, ao encerrar a tarefa, admirava, embevecido, sua obra e não hesitava em desmanchar o ponto que lhe parecia imperfeito. Sentia-se feliz. E pensava: "Jamais alguém teceu um tapete tão belo e perfeito como este!"

Quando desencarnou, não havia conseguido terminá-lo, mas seus amigos, conhecendo-lhe o velho desejo, adornaram seu túmulo com o tapete inacabado, procurando assim cumprir seu último desejo.

Durante muito tempo o espírito do mercador desencarnado permaneceu jungido ao tapete, procurando terminá-lo. Nada pôde afastá-lo dessa obstinação, até que foi novamente atraído à reencarnação na Terra.

Viveu existência difícil e obscura, procurando algo que não sabia definir. Quando o sofrimento o atingiu nas lutas de cada dia, objetivando reajuste inevitável com a Lei, encontrou nele reservas inusitadas de paciência e resignação, de esperança e confiança no porvir. E assim seu espírito foi atravessando algumas existências, enriquecendo-se cada vez mais de virtudes, até que, após uma proveitosa e vitoriosa encarnação, foi recebido festivamente pelos amigos e companheiros alegres no plano espiritual.

Durante a recepção, emocionado diante de tantas atenções e demonstrações de carinho, num vislumbre retrospectivo, recordou-se de algumas encarnações anteriores e, num átimo, lembrou-se, como a criança que se recorda de uma travessura, do seu antigo desejo de obter um tapete perfeito.

Usando os arquivos da memória, desejou rever o tapete inacabado que durante tanto tempo o maravilhara.

Todavia, o trabalho que se lhe apresentou à visão decepcionou-o. Não possuía nada de maravilhoso, pelo contrário. Vendo-o como realmente era, notava-lhe uma porção de defeitos. Um tanto acabrunhado, verificou que seu sonho de tantos anos não passava de um trabalho de principiante, muito inferior aos que tantas vezes examinara e se recusara a comprar.

Foi quando notou a presença de luminoso companheiro e amigo que, acompanhando-lhe o pensamento, disse-lhe:

— Não se envergonhe da sua obra, por mais imperfeita que ela agora lhe pareça. Há muito mais valor na obra que sai das nossas mãos, do nosso esforço, da nossa vontade, por mais carentes que sejam, do que as que passam pelos nossos olhos, por mais belas que se nos afigurem. O tapete inacabado é precioso para você, porque a ele deve o desenvolvimento da sua força de vontade, a conquista da humildade, por ter reiniciado, em idade avançada, um aprendizado difícil. Recorde-se de que já suas mãos não eram firmes, seus olhos não enxergavam claramente e seu corpo doía no esforço da posição que o trabalho exigia. A ele deve a conquista da paciência ao construir com suas próprias mãos o trabalho desejado. Olhe bem para ele e perceberá o quanto lhe deve!

O ex-mercador, comovido, fitou novamente o velho tapete inacabado e, com espanto, notou que ele se revestia de luz em diversos pontos, colorindo-se de maneira admirável. Em poucos instantes transformou--se no mais belo e maravilhoso tapete que jamais vira.

Surpreso, voltou-se para o amigo, que explicou, sorrindo:

— Enquanto continuava suas lutas na Terra, seus amigos resolveram ajudá-lo para que continuasse a confecção do seu tapete. Para isso, constituíram pontos de contato entre as virtudes que desenvolveu na confecção da peça, impregnando-a. Você mesmo, à medida que as desenvolvia, coloria e melhorava o tapete que ora, na festividade do seu regresso, lhe entregamos, como símbolo que é da conquista da sua perfeição espiritual, que, como sabe, era e é a única meta que inconscientemente lhe norteava os desejos. Leve-o agora para adornar o lar que o espera no aconchego deste regresso feliz e lembre-se sempre de que, na vida, para a conquista do que almejamos, é imprescindível saber esperar.

Marcos Vinícius

19

O RETRATO

Em augusta sala de nobreza rica, coberta de brocado e de púrpura cinzelada, um homem posava, ereto, para que famoso pintor o retratasse.

Trazia, sobre o corpo elegante e bem-proporcionado, rica vestimenta bordada, que se completava com as rendas da camisa e os luxuosos sapatos de cetim.

Tinha pouco mais de trinta anos e conservava ainda no olhar o desafio da mocidade, embora misturado ao excesso de satisfações mundanas e à fria frivolidade dos salões.

Exibia nos lábios finos e bem delineados uma curvatura de superioridade e desdém; nas mãos nervosas e nos dedos recobertos de anéis a impaciência de ter a sociedade e o tédio das facilidades.

O artista trabalhava calado. O pincel corria incessantemente, e seu olhar sério ia da figura elegante que retratava à tela que gradativamente ia se transformando na cópia fiel do soberbo modelo.

O gênio trabalhava como que bafejado de profunda inspiração, e o nobre senhor identificou-se, satisfeito, no esboço que já aparecia nítido e bem traçado.

Depois de algumas sessões, o quadro ficou pronto, e seu dono, muito satisfeito pelo trabalho, deu por ele pequena fortuna.

Mandou colocá-lo no lugar de honra da rica galeria onde figuravam seus ancestrais ilustres e, com satisfação, reconheceu-lhe a superioridade em relação aos demais.

E, se antes buscava o espelho para observar cuidadosamente sua figura, em vaidoso culto de si mesmo, passou a observar o retrato, envaidecendo-se da sua figura jovem, forte, elegante e bela.

Os anos sucederam-se e o nobre fidalgo, sempre que podia, postava-se diante do quadro, embevecido, pensando: "Como sou belo! Como sou elegante!"

Esqueceu-se do espelho e, com o tempo, chegou mesmo a esquecer-se de que encanecia, e seu corpo, cansado, envelhecido, nem sequer recordava a figura do retrato de havia tantos anos.

Quando recebia os amigos, mostrava-lhes o retrato, comentava a fidelidade com que fora produzida a tela. Não lhes via a fisionomia divertida nem a tolerância intencional que lhe demonstravam.

Certo dia adoeceu gravemente. Não podendo levantar-se para ver o quadro, ordenou aos familiares que lhe colocassem o leito na galeria, de forma que pudesse fitá-lo sempre que abrisse os olhos.

Atendido em seu capricho de doente incurável, durante seus últimos dias de vida permanecia horas e horas fitando a tela, maravilhado. Quando desencarnou, seu espírito não quis afastar-se do local, jungido ao retrato que venerava.

114

Longos anos se passaram, até que o quadro, considerado precioso, foi doado a um museu como importante relíquia.

O espírito, que dele não se havia afastado, acompanhou-o, e lá assistiu, orgulhoso, às manifestações de admiração e de entusiasmo que o retrato provocava. Entretanto, cedo observou que outros objetos havia no salão do museu, que também causavam admiração geral. Aborrecido, desejou voltar à sua galeria, mas não conseguiu sair dali com o quadro, por mais que desejasse.

O espírito de sua mãe, vendo-o em tão tristes circunstâncias, desejando ajudá-lo, passou a assisti-lo de perto, sem ser vista por ele, dada sua extrema perturbação, ministrando-lhe passes e vibrações de amor.

Até que um dia, num repente de lucidez, ele conseguiu ver sua verdadeira face refletida num espelho. O choque foi indescritível! A certeza de sua velhice e da transformação pela qual seu corpo havia passado arrancara-lhe lágrimas de desespero. Pensou em suicídio, mas todas as tentativas resultaram inúteis.

Foi então que, no auge da angústia, não desejando aceitar a realidade e a ela se adaptar, lançou-se de encontro à tela, como se pudesse animar com seu espírito a figura jovem e arrogante do moço de outrora. Tão forte foi o seu desejo que seu espírito colou-se ao retrato, mergulhando na ilusão, acreditando-se novamente de posse do seu antigo corpo.

E o quadro adquiriu mais força de atração, conseguindo, então, atrair mais e mais público ao seu redor, que se extasiava diante dele, comentando que a figura do retrato parecia viva, dando a muitos a impressão de que o moço fidalgo ia sair de repente da moldura e falar.

Assim, o quadro tornou-se uma obra-prima e uma preciosidade de valor incalculável. O pintor imortalizou-se com esse retrato e seu nome gravou-se na história da Arte com relevo.

Mas, um dia, muitos anos depois, um jovem milionário, amante da arte, conseguiu comprá-lo por fabulosa soma. Com precauções várias e cautela compreensível, acondicionou-o e embarcou-o no luxuoso iate para levá-lo à sua casa, do outro lado da costa.

O espírito, embora se sentindo asfixiar dentro da embalagem, não abandonou o retrato um instante. Todavia, a certa altura da viagem, atingido por violenta tempestade, o barco soçobrou. Salvaram-se todos os tripulantes, com exceção do jovem milionário.

Sentindo-se sucumbir, no auge da angústia, vendo que as águas destruíam impiedosamente o retrato, o espírito que o animava deu vazão ao seu desespero, tentando por todos os meios evitar a catástrofe, sem o conseguir.

Quando o viu destruído, lembrou-se do jovem milionário, a quem culpou pelo acidente trágico. Enfurecido, procurou-o entre os destroços do barco que lhe enterrara as ilusões, a fim de exigir-lhe contas pelo acontecido.

Depois de alguma busca, encontrou-o e, em ásperas palavras, lançou-lhe no rosto a culpa da perda irreparável.

Vendo-o sereno, irritou-se ainda mais e, quanto mais acerbas eram suas palavras, observou, surpreso, que ele se transformava na figura familiar e firme do pintor do quadro.

Boquiaberto, calou-se, vencido pela surpresa. O outro avançou para ele sereno e, tomando-lhe a mão com carinho, disse:

— Hoje saldei minha dívida com você. Quando pintei o seu retrato eu era um pintor comum. Se mérito havia na minha arte, ele foi secundário diante do seu trabalho no sentido de dar-lhe vida, saturando-o de vibrações vitais, provocando verdadeira atração pública. Tornei-me imortal nas academias da Terra graças a você. Entretanto, fui eu o causador da cristalização da sua mente, produzindo o objeto da sua triste ilusão. Assim eu, que lhe devia a glória, sentia-me cada vez mais culpado pela penosa situação em que com meu auxílio se colocou. Por isso, depois de muito pedir a Deus, consegui reencarnar na Terra com a finalidade de ajudá-lo, destruindo a obra que traçara com minhas próprias mãos. Graças a Deus, consegui!

E, observando o outro, que já de posse da realidade, humilhado e triste, não ousava interrompê-lo, continuou:

— Porém, meu amigo, jamais tornarei a pintar. Assim como procurava dar vida fictícia ao quadro das suas ilusões, eu procurava copiar as obras de Deus. Contudo, compreendi que, por mais que faça, jamais poderei imitá-las.

Tomando o braço do amigo, que pálido e triste o ouvia, conduziu-o a novos rumos, desaparecendo ambos rapidamente no horizonte.

E no dia seguinte os jornais da Terra lamentavam em manchetes a morte trágica do jovem milionário, única vítima no infortunado naufrágio, e o desaparecimento do precioso retrato, obra-prima, perda irreparável para os amantes da Arte.

Marcos Vinícius

20

O ARGUMENTO

Sustentando enorme dificuldade, meu amigo Inácio Nogueira Filho batalhava para conduzir seus familiares queridos ao aprisco amoroso e consolador do Espiritismo.

Encarando a vida com serenidade e disciplina, tinha já conseguido alimentar seu espírito com a luz da doutrina renovadora do Cristo e, sentindo seu coração regozijar-se com seus princípios elevados, desejava que os seus partilhassem sua felicidade, sendo por ela beneficiados.

Todavia, inúteis tinham sido todos os seus esforços nesse sentido. A esposa concordava indiferente com tudo quanto se lhe dissesse sobre a doutrina que abraçara, como se faz com a criança que nos historia um acontecimento sem importância, e nem sequer penetrava nos seus pensamentos. Os dois filhos, jovens e atraídos pelo despertar das conveniências sociais e mundanas, olhavam para o pai com uma complacência manifesta quando o ouviam mencionar o Evangelho ou as máximas doutrinárias, julgando-o intimamente um antiquado, distanciado da realidade.

Inácio sentia-se sozinho, incompreendido no seio da própria família. Contudo, alertado pelos ensinamentos cristãos, mantinha-se fiel à sua crença e estudava pacientemente o Espiritismo.

Assim, cada dia que passava, encontrava Inácio mais confiante e esperançoso, lutando com sinceridade para melhorar suas condições espirituais, suportando, resignado, a intolerância ostensiva dos seus. Agindo assim, progrediu a tal ponto que sua sensibilidade mediúnica desabrochou equilibrada e rigorosamente. Impulsionado por pensamentos edificantes, obedecendo à orientação de generosos mentores, passou ao atendimento de desafortunadas criaturas, que o procuravam para orientação e para o passe. Tornou-se ocupadíssimo, multiplicando-se no bem.

Porém, em suas novas atividades, não logrou o apoio e a compreensão dos familiares, que o julgavam fanático. Exasperavam-se de ver a casa sempre frequentada por pessoas estranhas, algumas malvestidas, trazendo no rosto a marca do sofrimento e da miséria.

Desta forma, enquanto Inácio progredia espiritualmente, afastava-se cada vez mais do entendimento restrito dos que o cercavam. Lamentava-se ele, pesaroso, mas confiava em Deus, orando sempre em benefício deles, desejoso de vê-los comungar no mesmo ideal cristão.

Os rapazes, contudo, protestavam veementes contra a atitude paterna. A mãe solicitava paciência, contestando que Inácio, afora o seu fanatismo religioso, era pai e marido exemplares. Mas eles, não se conformando com que o pai praticasse a mediunidade e a assistência social, alegando envergonharem-se das atividades paternas diante dos amigos, primeiro um, depois outro, abandonaram o lar a pretexto de emprego e viajaram para cidade distante.

Inácio sofreu profundo golpe em seu amoroso coração, porém, alertando os filhos para os perigos da ambição e da vaidade, abençoou-os, comovido.

Meses depois, a esposa, a pretexto de inesperada doença do filho mais velho, viajou para visitá-lo e não falou em regresso. Algumas poucas cartas, cada vez mais espaçadas, até que as notícias cessaram de todo. Depois de algum tempo, recebeu lacônica notícia do casamento do filho com moça de sociedade. Compreendeu, depois de algumas tentativas de aproximação, que os seus envergonhavam-se dele, colocando como condição primordial na vida em comum o seu afastamento das atividades religiosas a que se afeiçoara.

Com a saudade sangrando no coração amoroso, mas, sentindo-se indesejado e incompreendido, resignado e em prece, resolveu integrar-se completamente na prática do bem, desfazendo-se dos recursos financeiros de que dispunha em benefício dos pobres. Para não ofender o orgulho da família, adotou singelo pseudônimo. Mudou-se para quarto humilde, onde continuava sua tarefa na mediunidade, que desabrochava em vigorosa potência do seu espírito lúcido.

Os anos se passaram. Sua fama, as curas que por seu intermédio se multiplicaram, sua humilde bondade, seu imenso amor atraíam cada vez mais a simpatia geral, e seu nome era pronunciado com respeito e carinho.

Envelhecendo já, continuava trabalhando intensamente em benefício de todos.

Certa noite, enquanto realizava um passe em sofredora criatura na antessala do centro espírita onde colaborava havia alguns anos, chegaram algumas pessoas abatidas e aflitas. Sentaram-se, não antes de indagar se o grande benfeitor cuja fama os estimulara a ir até ali estava atendendo.

A mulher, bastante idosa, enxugou lágrimas discretas. O cavalheiro pálido e abatido que a acompanhava parecia distante, semi-inconsciente, e o outro ainda trazia em seus braços linda criança pálida, evidenciando perturbações motoras. Todos demonstravam cansaço e sofrimento.

Abriu-se a porta. O doente, reconfortado, saiu da sala, e os recém-chegados foram convidados a entrar. Um lampejo de esperança brilhou em seus olhos tristes e acorreram pressurosos. A porta se fechou.

Estacaram de súbito, interditos e embaraçados. Inácio, comovido, olhos alegres e fisionomia serena, reconheceu a esposa e os filhos queridos. Não como os via na memória dos tempos felizes, mas como farrapos humanos que o materialismo e a descrença alimentaram.

Abriu os braços amorosos e recebeu a esposa em lágrimas de um desabafo incontido.

— Então é você! — murmurou, comovida. — Como podia pensar? Muitas vezes me perguntei o que teria sido feito de você, abandonado de todos. Perdoe-nos, Inácio. A vida nos tem castigado!

Ele ouviu penalizado a história do filho mais velho, envolvido em dolorosa obsessão. O mais moço casara-se com moça rica, bela e sadia, mas inexplicavelmente sua filhinha nascera doente, desafiando os conhecimentos médicos, e todo o dinheiro dos pais não podia devolver-lhe a saúde. Alguém lhes falara do caridoso médium que atendia no centro espírita. Tinham viajado de longa distância para uma consulta, tais os fatos que ouviram contar sobre suas curas, mas nunca podiam imaginar que se tratava dele! Naquele instante de profunda emoção, pediram-lhe perdão, ao mesmo tempo em que suplicavam ajuda.

Inácio abraçou-os, comovido, e tornou, suave:

— Jesus guia os nossos caminhos para a felicidade eterna. Não temam a luta e confiem. Vamos orar ao Senhor agradecendo a alegria do reencontro.

Tal a paz, a serenidade, a luz e a bondade que Inácio irradiava ao redor que os seus sentiram-se também serenos.

Alguns dias depois, quando Inácio chegou ao centro espírita, encontrou toda a família renovada, serena, solicitando-lhe a palavra com respeito e, no fim, suplicando também a oportunidade de colaborar.

Marcos Vinícius

21

OFERTA

Jair Medeiros, antigo e dedicado servidor em casa assistencial espírita, adoeceu gravemente.

Retido ao leito por vários dias, foi forçado pelas circunstâncias a desligar-se temporariamente da casa de trabalho, onde graciosamente prestava serviços.

Durante a fase aguda da moléstia, Jair nem sequer perguntou pelos companheiros de serviço, mas, quando melhorou, embora não pudesse ainda se levantar, dirigiu-se à esposa carinhosa:

— Maria, por que meus amigos e companheiros foram proibidos de visitar-me? Estive tão mal assim?

— Você esteve mal, mas não foram proibidas as visitas.

— Então... não os vi?

Ela respondeu com simplicidade:

— Não vieram.

Jair lançou-lhe um olhar surpreso. Depois, querendo esconder certo desapontamento, tornou:

— Eles são muito discretos. Vai ver que não quiseram vir para não incomodar, mas, se me souberem em melhor estado, virão certamente.

125

Apesar de desejar demonstrar a costumeira alegria, Jair estava aborrecido.

De temperamento alegre e espirituoso, levava alegria aonde aparecesse. Era estimado e cumpridor dos seus deveres. Aliás, sabia que sua ausência prejudicaria o andamento do serviço no seu setor de atividades.

Os dias foram passando e, ainda acamado, Jair sentia-se cada vez mais abandonado pelos companheiros. Ninguém aparecia nem pedia notícias.

Certo dia, solicitou à esposa que telefonasse para a casa assistencial justificando sua prolongada ausência. A resposta foi dada em voz agradável: que ele não se preocupasse com o seu setor porquanto tudo estava em ordem. Fora muito bem substituído.

Isso o fez sentir-se ainda mais abandonado. Ajudado pelo desânimo físico, começou a ceder a pensamentos depressivos. Não havia necessidade de voltar tão cedo a suas atividades. Não tinha feito falta nenhuma. Seus companheiros nem sequer tinham telefonado para inquirir sobre sua saúde.

Dias depois, tendo recuperado um pouco as forças, resolveu voltar. Dirigiu-se à casa assistencial, após trinta dias de ausência forçada.

O ambiente efervescia qual operosa colmeia. Os assistidos e assistentes, em constante atividade, permutavam experiências e, às vezes, carinho.

Sentindo-se feliz com o regresso, coração cheio de alegria, efusivamente dirigiu-se a um cooperador e amigo, que passava com alguns volumes nas mãos. Mas este, sem parar, apenas respondeu:

— Olá, Jair. O bom filho à casa torna! Estou ocupadíssimo. Ah! Preciso falar com aquela senhora. Ei! Oh! Dona...

E saiu apressado, enquanto Jair deixava cair a mão que fraternalmente estendera.

Mais adiante encontrou uma senhora amiga e colaboradora do seu setor. Assim que o viu, foi dizendo:

— Olá! Senhor Jair! Sarou? — e como este acenasse afirmativamente com a cabeça, continuou:

— Houve modificações no nosso trabalho. Sabe, o senhor Oswaldo é um homem formidável. Dinamizou o serviço!

E como Jair não soubesse quem era Oswaldo, ela esclareceu:

— Ora! O novo colaborador que o substituiu. Houve tantas modificações que o senhor terá que reaprender tudo.

Jair foi ver o senhor Oswaldo. Com desagrado notou logo as modificações no sistema. Sentiu-se desnecessário. E, quando Oswaldo se propôs a ensiná--lo a fazer o serviço à sua maneira, Jair delicadamente agradeceu, dizendo que não reassumiria o posto ainda. Sabendo-o entregue a mãos competentes, poderia convalescer melhor.

Quando se retirou, ia deprimido e triste. Era verdade, pensava que os companheiros estavam muito ocupados para lhe dar mais atenção.

Ao chegar a sua casa, a mulher, ouvindo-lhe o desabafo, ajuntou:

— Eu não dizia? Quantas vezes você deixou de levar-me à casa dos meus, em visita aos parentes, aos passeios, para encerrar-se naquelas paredes, trabalhando em benefício de pessoas ingratas e ociosas! Deixe de uma vez dessas coisas! Manias adquiridas com essa loucura que é o Espiritismo.

Jair deixou pender a cabeça, abatido, e respondeu:

— Depois de tantos anos, começo a pensar que talvez você tenha razão.

Entretanto, no plano espiritual, uma sombra sinistra instalava-se ao lado de Jair, com funda ascendência sobre sua vontade, ao mesmo tempo em que seu companheiro dirigia-se a toda pressa para um lugar muito próximo à Terra e de desagradável aparência.

Algumas entidades, trazendo na fisionomia vestígios de apego ao mundo material e aos vícios, reuniam-se, trocando ideias sobre suas atividades.

Com sua chegada, calaram-se, enquanto o recém-chegado em largo sorriso comentou:

— Hoje concretizamos grande vitória: o caso Jair Medeiros, que nos vinha preocupando pela sua perseverança no bem, inutilizando-nos diversas realizações. Vencemos, finalmente!

Os outros, rindo sinistramente, rodearam-no, esperando suas conclusões:

— Como sabem, tentamos diversas situações. Ele não cedeu, nem à vaidade, nem à luxúria, ou às festas e aos prazeres, nem às mulheres ou ao dinheiro! Entretanto, Jonas teve ideia genial. Vendo-o doente e acamado, interceptou toda assistência moral dos seus companheiros de tarefa.

Profundamente interessado, alguém perguntou:

— Como o conseguiu? Por acaso perturbou ou obscureceu a mente deles?

— De maneira alguma. Isso seria contraproducente. Eles, em sua maioria, conhecem nossa maneira de agir. Correm logo a tomar passe ou recorrem à prece, e nada podemos fazer. Mas Jonas inventou coisa melhor. Colaborou para o acúmulo de serviço! Trabalhamos arduamente para divulgar as atividades assistenciais da casa, sugerindo a um número bastante grande de criaturas necessitadas que comparecessem ao local. Causamos-lhes problemas de toda ordem, e eles, por sua vez, recorriam aos préstimos dos cooperadores.

Gozando o suspense de suas palavras, concluiu:

— Vocês precisavam ver como corriam de um lado a outro tentando resolver os problemas daquela gente. Ninguém se lembrou de visitar Jair.

— E os assistentes espirituais, não fizeram nada?

— Claro que fizeram. Tentaram por todas as formas sugerir aos companheiros de Jair que fossem visitá-lo. Eles até o desejavam, mas o serviço não deu folga! — concluiu alegre. — Você sabe que a grande parte dos assistidos da casa podemos manejar sem interferência, eles nos facilitam as atividades. Agora, meus amigos, o problema está resolvido: Jair é nosso! A esposa está trabalhando assessorada por companheiro do nosso grupo. Logo o teremos inutilizado.

— E o seu substituto?

— Entusiasmo passageiro! Assim que o abandonarmos, ele debandará, não nos dará trabalho.

E, em meio à alegria geral, ajuntou:

— Quem tiver um problema igual de afastar alguém dessas atividades assistenciais é só aproveitar a ocasião e ofertar-lhe a certeza da própria inutilidade. Quanto aos seus companheiros, serviço neles, bastante serviço é o melhor remédio!

Marcos Vinícius

22

A CORRENTE

Ensimesmado e taciturno, Germano de Figueiredo, sempre que chegava a sua casa, conduzia consigo o desânimo e a queixa.

Não havia nada que o fizesse sorrir e, quando a isso se via forçado por alguma alegria inesperada, o máximo que conseguia era uma careta triste e um simulacro de sorriso desalentado.

A princípio, sua esposa intentara de todas as maneiras alegrar-lhe a existência, mas baldaram seus esforços. Era o oposto do marido, vibrante e cheia de otimismo. Germano não sabia sorrir.

Se uma boa surpresa ou um bom evento o atingia, dizia:

— Não alimentemos ilusões. Sabe-se lá o que virá depois?

E, se, ao contrário, algum acontecimento desagradável o buscava, suspirava, dizendo:

— Eu já sabia! Minha vida tem sido um acúmulo de sofrimentos...

A esposa sacudia os ombros, resignada. Sabia que Germano não tinha motivos para ser tão pessimista. A vida sempre lhe decorrera equilibrada. Filho de família honesta e operosa do seio da classe média, recebera regular instrução, empregara-se bem e, se não possuía bens de fortuna, jamais havia sentido falta dos elementos principais da vida, jamais enfrentara problema doloroso de envergadura. Sua saúde era boa. No entanto, Germano ostentava verdadeira obsessão pelas coisas tristes, colecionando intimamente verdadeiras tragédias.

Seus próprios filhos evitavam-lhe a companhia e, após certa resistência, a própria esposa desistiu de fazê-lo mudar.

Entretanto, a vida, renovadora e amiga que é, resolveu escrever a lição apropriada. Chamou-o à realidade através da porta reveladora da morte. Germano desencarnou.

E, se nosso amigo se julgava infeliz ao lado dos familiares no amoroso aconchego do conforto doméstico, encontrou então na solidão que o envolveu após o túmulo razões poderosas para lamentar-se ainda mais. Entretanto, por mais que tentasse, não conseguiu fazer-se pressentido.

— Ai de mim! — lamentava-se o infeliz. — Meus sofrimentos continuam mesmo depois da morte.

Jamais terão fim! Sombras me envolvem por toda parte. A paisagem é triste e sombria... Quando conhecerei a alegria?

Realmente, a paisagem que o cercava era infinitamente triste. Jamais via o sol, e o local para o qual era constantemente atraído, além de escuro, sombrio e sem vegetação, estava povoado por pássaros horripilantes e criaturas espectrais que procuravam sempre aproximar-se dele que, no paroxismo da angústia e do terror, fugia espavorido. Então, volvia ao lar terrestre, e a casa lhe parecia envolvida por espesso nevoeiro cinza-escuro, os familiares encobertos por nuvens, como em terrível pesadelo, jamais conseguindo ouvi-lo, por mais que gritasse.

Quanto mais se queixava e lamentava, mais depressa voltava ao local sombrio, recomeçando a estranha perseguição dos espectros e das aves soturnas, e a fuga desordenada e improfícua.

Receando a loucura, Germano aprendeu, através do medo e da angústia, a recorrer à prece, até que um dia foi recolhido em precário estado a um posto de emergência e socorro no plano espiritual. Atendido por médico dedicado, Germano ia começar a desfiar sua coleção de tristezas quando o facultativo impôs-lhe silêncio, dizendo:

— Detenha suas palavras. Conhecemos o seu caso. Convém, para o seu próprio bem, que se prepare para receber o auxílio a que faz jus, pelas preces de

133

seus amigos e por acréscimo da bondade do Senhor. Venha comigo.

E, parecendo ignorar que Germano se arrastava com dificuldade, conduziu-o à pequena sala, acomodando-o em confortável poltrona.

— Agora, Germano, vamos estudar o seu caso. Diz sempre que não gozou nenhuma alegria e só de tristezas foi sua vida na Terra.

— Sim — concordou ele. — Sofri muito. Só, velho e doente.

— E na mocidade, foi feliz?

— Nem um pouco! Sofri sempre inúmeras desilusões. A vida me foi pesado fardo.

— E a infância? — continuou o mentor com ligeiro sorriso.

— Triste — suspirou Germano. — Tão triste que nem gosto de recordá-la!

— Entretanto, meu amigo, as informações que temos diferem fundamentalmente. Vejamos.

Ligando delicado aparelho a um canto da sala, Germano, boquiaberto, viu aparecer em sua tela, como em um cinema, a velha e solarenga casa onde residiam seus pais antes da época do seu nascimento. Assistiu emocionado ao carinho e à alegria de sua mãe preparando-lhe amorosamente o enxoval delicado. Seu pai, radiante e orgulhoso com sua vinda. Depois, viu-se pequenino, entre a alegria e a felicidade geral, senhor das mais caras atenções. Menino, depois adolescente, e essas sucessivas recordações banhavam-lhe o espírito perturbado com funda emoção. Reviu seu casamento, as alegrias sublimes da vida e do convívio em família, e o esforço dos familiares para envolvê-lo em uma aura de alegria e serenidade. No decorrer das cenas sucessivas, começou a notar que ele aparecia sempre em contraste, insatisfeito e triste, temeroso e infeliz. A revivência do passado despertou nele a sensação do quanto aquele tempo tinha sido feliz. Em confronto com a realidade dura que enfrentava, e levado pela rememoração emotiva, chegou a antipatizar consigo mesmo nas cenas a que assistia, voltado incessantemente ao pessimismo diante das mais caras e suaves alegrias.

Ao término, o dedicado médico e instrutor espiritual o inquiriu:

— E então? Qual é o seu veredicto?

Envergonhado, Germano admitiu:

— Não posso dizer que tenha sido infeliz. Afinal, aqueles foram bons tempos! Gostaria de regressar!

O médico sorriu, bondoso:

— Por ora é impossível. Entretanto, se deseja o breve retorno à face da Terra, só há um jeito.

— Qual?

— A inscrição num curso de bom humor. Não ignore que o pensamento é uma força viva e ativa. As vibrações negativas que alimentou durante tantos anos atraíram junto ao seu convívio grande quantidade de espíritos sofredores e infelizes, que se alimentavam dos seus pensamentos depressivos, formando a seu comando extensa corrente. Criaturas que tem visto ao seu redor e o apavoram pela profunda tristeza que demonstram. Não pode voltar agora à Terra porque não teria forças para vencer o círculo vicioso em que se colocou, agravando e inutilizando as mais profícuas e operosas oportunidades que lhe fossem oferecidas. Necessita primeiro de estagiar em prolongado curso de bom humor, onde aprenderá a encontrar a alegria dentro de si mesmo e nas mil e uma ocasiões que a vida nos oferece no cultivo do bem. E, quando tiver armazenado boa dose de alegria, poderá voltar e estabelecer novo lar terrestre, onde deverá receber por companheiros não aqueles que ama e agora estão temporariamente afastados de você, mas os que aliciou e aos quais se ligou pela onda de tristeza voluntariamente cultivada. Terá que aprender a sorrir e a olhar as coisas belas da vida, apesar da triste corrente que prendeu ao seu espírito e da qual de pronto não poderá se libertar.

Abatido, mas humilde e dignificado por pensamentos novos, Germano considerou:

— Em que condições deverei voltar?

— Em condições justas, no campo vibratório que teceu durante tanto tempo. Teve um lar alegre e feliz, não o valorizou. Filhos normais e inteligentes não lhe deram alegria. Vida equilibrada e pacífica, e não se sentiu feliz. Tranquilidade financeira e não aproveitou o tempo no cultivo dos valores espirituais. Por determinação dos ajustes do passado, credores de outros tempos se aproximaram de você em busca do equilíbrio, e você os aliciou à corrente da tristeza, arrojando-os ainda mais na perturbação e no desequilíbrio. Justo, portanto, que, no lar que será de luta para manutenção financeira, os receba como companheiros e familiares, e, se conseguir reconduzi-los ao caminho do equilíbrio e da alegria, terá conseguido romper a dorida corrente que tanto o incomoda. Poderá, então, ser feliz e liberto, reencontrando quem ama.

E num gesto carinhoso, mas enérgico, o mentor concluiu:

— Vá, meu amigo. Busque recuperar, no recomeço difícil, o tempo perdido.

Marcos Vinícius

23

JORNADA NOVA

Serpenteando as colinas qual arabesco caprichoso desenhado pacientemente no verde rude, o cavaleiro descia vagaroso.

Carregava consigo, na bagagem modesta, os presentinhos carinhosos aos familiares que havia cinco anos lhe aguardavam o regresso.

Saíra rumo a novos caminhos, em busca de uma modificação no sistema de vida que sempre fora o seu. Filho de lavradores pobres, sonhava ardentemente viver na cidade. Durante muito tempo amealhou recursos para custear a viagem.

Quantas esperanças, quantos castelos sonhados no verdor de sua juventude! Ganharia fortuna na grande cidade e voltaria para buscar sua sofrida e cansada mãe, seu velho e resignado pai. Daria a eles muitos presentes e lhes compraria uma casa grande, com água encanada e luz elétrica. Iria levá-los a morar na cidade.

Com o coração entusiasmado, João partiu do lar, levando na lembrança as lágrimas mudas dos olhos tristes da sua velha querida.

E então João voltava, e em seu rosto não brilhava mais o antigo entusiasmo. Em seu lugar havia muita doçura e uma paz que se casava bem à mansidão serena da manhã e ao azul límpido do céu.

Lá, na planície, a pequena casa humilde despertou nele um gesto de ansiedade, mas não apressou a marcha. Chegou, por fim, e sua presença provocou alegre alvoroço.

Seus irmãos acorreram surpresos, e João viu-se abraçado e beijado por todos.

Sua mãe, lágrimas nos olhos, abraçou-o silenciosa, e o pai, quieto e calado, apertou fortemente a mão calosa contra a sua.

Depois que a surpresa permitiu, a curiosidade envolveu João, que voltava da grande cidade. Queriam saber suas aventuras, seus sucessos, como era a vida na cidade.

Então João contou-lhes as coisas que vira: famílias inteiras dormindo ao relento nas noites frias; crianças pálidas e sem sorriso abrigadas em asilos, vivendo da caridade pública; infelizes mulheres atiradas às sarjetas das ruas suspirando por um pouco de dignidade; homens correndo de um lado a outro, carregando consigo enormes preocupações e responsabilidades. Homens e mulheres que se consideravam artistas, digladiando-se constantemente em busca da fama, pobres empregadinhos que, acostumados às aparências, se esforçavam nas dívidas excessivas para a manutenção do seu nível de vida.

Criaturas revoltadas e desajustadas, que matam e roubam, sendo por isso segregadas da sociedade em horríveis presídios e caçadas como animais.

Boquiabertos, todos ouviram o curioso relato, e a certa altura um dos irmãos perguntou:

— Mas, e sua vida? Que fez? Conseguiu fortuna?

João, com o olhar calmo, sorriu e respondeu:

— Sim, consegui fortuna. Sou um homem muito rico!

Os outros relancearam o olhar para sua roupa modesta e sua pobre bagagem, um tanto descrentes. João, porém, prosseguiu:

— Quando saí daqui, levava comigo o desassossego da ambição. Desejava ser rico para levá-los à cidade! Entretanto, conhecendo a realidade, o sofrimento e a luta, o muito mal que uma cidade grande pode nos fazer, cheguei à conclusão de que a maior riqueza é o amor, a união entre todos e a paz. Aqui, embora humildes, somos todos ricos de felicidade, de amor, na simplicidade da nossa vida. Senti que, colocando-nos aqui, neste afastado, talvez Deus tenha querido nos proteger de nossas fraquezas, amadurecendo-nos para o futuro. Certo dia, lá na cidade, pensei: como a vida é curta! O que estou fazendo longe dos meus? Por que atirara fora a felicidade que Deus me dera de conhecer tão carinhoso lar? Voltei para dizer que ficarei aqui e trabalharei alegremente ao lado de todos.

João calou-se, mas viu nos olhos de sua mãe um brilho novo e talvez, pela primeira vez em sua vida, a boca severa e rude de seu pai entreabrir-se em um doce sorriso.

Marcos Vinícius

24

O PASSE

Agostinho da Silva, dedicado companheiro, militando havia um decênio nas hostes espiritistas, apesar do grande conhecimento básico da doutrina, não gostava de dar passes. Para ele o passe era um recurso inútil, porquanto achava que o indivíduo deve ter em si mesmo a confiança para prescindir do auxílio do próximo, esperançoso e seguro de que a Lei de Deus provê todas as nossas necessidades.

Costumava dizer:

— Sujeitar-se ao passe é declarar publicamente sua falta de fé. Quando for permitida a cura da moléstia que nos acomete, ela se processará sem o passe, com o médico, sem ele e, às vezes, apesar dele.

Argumentava que o Espiritismo não tem rituais. O rito do passe afasta as criaturas mais cultas da doutrina, em prejuízo para sua divulgação. E como pode ser diferente? Um homem culto, formado, intelectual, como um médico, por exemplo, receber passes de criaturas às vezes ingênuas, às vezes ignorantes, ou ainda em precário estado de higiene física, provo-

143

cando mal-estar no paciente? Não. O Espiritismo precisa banir esses rituais e preservar a pureza da doutrina.

Assim seguia Agostinho, perturbando com a lógica dos seus argumentos aqueles que, admirando seus conhecimentos literários, sua verbosidade fácil e sua simpatia pessoal, tornavam-se também filiados à sua maneira de pensar.

Reuniam-se para estudo e cada vez mais, à força do próprio raciocínio, mergulhavam na confusão. Aos poucos chegaram à conclusão de que também não havia necessidade de fazer preces, porquanto com elas ninguém conseguiria ludibriar a justiça e evitar o sofrimento. "Deus sabe as necessidades de cada um", diziam, "e nós temos que aceitar tudo resignados".

Entretanto, com o correr do tempo, a casa foi se tornando vazia. Os amigos dispersavam-se aos poucos, as desculpas para o afastamento do trabalho doutrinário de Agostinho choviam sempre, multiplicando as ausências, até que ele se encontrou só na sala vazia.

Ninguém mais o procurava para o trabalho espírita e, por fim, as desculpas cessaram também.

Deprimido, Agostinho sentiu-se incompreendido. Sua mágoa foi mais funda quando soube, por intermédio de terceiros, que seus mais íntimos amigos frequentavam um centro espírita com assiduidade, alguns recebendo, outros ministrando passes.

Foi assim que, naquela noite, sentiu-se cansado. Desanimado. Tanta sinceridade, tanto esforço no sentido de purificar a prática doutrinária, tudo inútil.

"A humanidade", pensava ele, "estava muito atrasada para compreender ideais tão elevados!"

Ao penetrar em seu quarto de dormir, seus olhos tristes encontraram-se com o suave e belo olhar do

Cristo em feliz e harmoniosa gravura pendurada na parede.

Não orou, porque não estava em seus hábitos fazê-lo, mas do fundo do seu ser brotou um apelo mudo e sincero ao atendimento e à manifestação da justiça.

Deitou-se e dormiu. Sonhou. Encontrava-se em local sombrio e sentia-se envolvido por invencível mal-estar. Apavorado, via-se com ambas as mãos mirradas e as pernas atrofiadas, impossibilitado de locomover-se. Chorava desesperado, esforçando-se por mover os membros enrijecidos, sem conseguir. Parecia-lhe que indestrutível cadeia o mantinha prisioneiro em tão angustiante e dolorosa situação.

Então, em resposta a suas lágrimas de desespero, um amigo querido, mas não identificado no momento, libertou-o, devolvendo-lhe os movimentos. Depois, conduziu-o a outros lugares, com paisagens suaves e agradáveis. Enorme bem-estar o invadiu, retirando aos poucos o peso de suas preocupações e tristezas.

Conduzido à presença de grisalha figura, que lhe despertou de pronto o respeito e a simpatia, não pôde evitar um calafrio de horror lembrando-se da sua situação de minutos antes.

Após as saudações naturais, tornou:

— Ainda bem que me foram buscar. Estava envolvido em horrível pesadelo.

Calou-se, ainda um tanto impressionado. Seu interlocutor olhou-o com olhos muito lúcidos, mas não lhe correspondeu o sorriso. Calmo e seguro, retrucou:

— Gostaria de retornar àquela situação?

Agostinho levantou-se de chofre:

— Deus me livre! Durou poucos segundos, entretanto, não sei se suportaria senti-la novamente sem abalar minha sanidade mental.

— Todavia — observou o nobre senhor —, durante longos anos perambulou do lado de cá naquela situação. Não se lembra?

Agostinho sentiu profundo choque. Assustado, teve de relance a visão da sua pálida figura vagueando, desesperada e aflita.

— Mas, por quê? — indagou temeroso.

— Recue mais um pouco e verá.

Agostinho sentiu-se envolvido em um turbilhão. Viu-se em sala distinta, vestindo alvo uniforme, luvas nas mãos, bisturi em punho, operando. Depois as mãos empunhando a cureta, assassinando crianças nascedouras, impassivelmente e com sorriso nos lábios.

Humilhado, baixou a cabeça e, quando serenou, perguntou:

— Isto é verdade? Fui eu?

— Sim — respondeu-lhe o outro, sereno. — Quando, na sua anterior encarnação como médico, jurou preservar a vida e valorizá-la, muitas vezes a destruiu. Induziu jovens senhoras ao erro. Levianamente explorou segredos da profissão em benefício próprio. Veio para o plano espiritual, após a morte, sofrendo de terrível paralisia das mãos, que se atrofiaram envolvidas por grossa camada de fluido negativo, acumulado por você em horas e horas de esforço infeliz. Depois de anos de sofrimento, de tratamento adequado, ingressou nas aulas de Espiritismo cristão, preparando-se para nova encarnação. No entanto, apesar de ser melhor o seu estado, havia possibilidades de, durante a próxima encarnação, vir teu físico a ressentir-se da enfermidade espiritual, nos órgãos atingidos.

Agostinho suspirou, emocionado.

— Para que tal não acontecesse, assistiu a aulas de utilização e distribuição dos fluidos, porque nossos especialistas nesses casos opinaram que somente a renovação constante de energias salutares conseguiria evitar a consumação da dolorosa contingência. Entre os recursos usados, o passe aos necessitados, pelas circunstâncias de que se reveste de verdadeiro banho energético, renovador e vigorante, era a forma possível de preservar-lhe a saúde física. O cultivo da prece lhe daria forças para vencer as dificuldades, conservando-o em ligação constante com seu grupo de trabalho no plano espiritual, que procuraria ajudá-lo da melhor forma.

Boquiaberto, Agostinho ponderou:

— Então dar passe é para mim o remédio?

— Sem dúvida, o mais eficiente, porquanto propiciará oportunidade de, pelo benefício e pela conquista da confiança dos assistidos, orientar e reconduzir, refazer e auxiliar quantos foram desviados ou feridos por suas mãos.

E continuou suavemente:

— Veja, meu amigo, como é grande, infinita e incomensurável a bondade de Deus.

Com essas palavras sibilando nos ouvidos, Agostinho acordou impressionado.

E, no dia imediato, seus amigos, estupefatos, o viram, com o *Evangelho Segundo o Espiritismo* debaixo do braço, penetrar humilde no centro espírita e solicitar em voz alta o auxílio de um passe!

Marcos Vinícius

25

O PREÇO DO SILÊNCIO

Foi com grande satisfação que, em reunião fraterna no plano espiritual, revi meu amigo José, de quem me afastara havia algumas encarnações.

Juntos, tínhamos vivido em tempos passados, e eu me lembrava com certo constrangimento de certas passagens levianas que havíamos cometido.

Na verdade, eu me sentia mudado e, um pouco mais experiente, tentei afastar os pensamentos desagradáveis. José, companheiro leviano e irresponsável, apesar de bom e generoso amigo, tinha o defeito de falar demais. Quando em palestra com alguém, esquecia a noção do equilíbrio e comentava assuntos íntimos, envolvendo reputações, boatos, e acrescentava, no auge do entusiasmo, novas nuances para colorir o assunto, sem perceber, resvalando para a calúnia. Muitas vezes causara intrigas e dissensões, separações e litígios entre as criaturas.

Fazia-o mais por leviandade do que pelo desejo de causar dano. Geralmente arrependia-se depois, mas o mal já estava feito.

149

Abracei-o efusivamente, pois o apreciava, e intimamente procurei armazenar argumentos a fim de neutralizar-lhe o verbo intempestivo.

José abraçou-me alegre, e depois de algumas palavras juntamo-nos ao resto do grupo em agradável palestra.

Entretanto, grande surpresa me estava reservada. Durante nossas amigas confabulações, José apenas pronunciou algumas palavras sérias, pausadas e, eu diria, com alguma dificuldade. Pareceu-me completamente diferente da pessoa que eu havia conhecido antes. Estava mais equilibrado e mais feliz. Em seu olhar havia entendimento e doçura.

Satisfeito constatei seu progresso espiritual. Quando juntos nos retiramos da assembleia, José, colocando sua mão em meu braço, tornou:

— Estou satisfeito de vê-lo bem-disposto. E sei que também nota que estou diferente.

— Tem razão, José. Está muito melhor agora — e acrescentei, receoso de recordar os erros do seu passado: — Na verdade todos nós temos progredido. É da Lei!

— Assim é. Entretanto, toda conquista tem um preço que é preciso pagar. E pagamos com antecedência. É preciso dar para receber.

— Mas noto que tem dificuldade em se expressar. Você que era tão versátil e prolixo!

— Sabe que muitos males causei com a língua a serviço da irresponsabilidade. Esse defeito representava para mim sério motivo de preocupação. Vivia atormentado, enredado pelas dissensões e intrigas que articulava, perseguido pelas consequências dessas atitudes e sentindo-me impotente para dominá-las. A cada existência, quando voltava para cá, sentia o remorso aumentar, vendo a lista de resgates crescer consideravelmente, dificultando meu progresso espiritual. Em outros campos eu havia feito muitos progressos, mas, quando chegava a essa fraqueza, nada conseguia. Resolvi, por isso, submeter meu caso às entidades superiores encarregadas da nossa orientação, que carinhosamente se dispuseram a estudar minhas possibilidades. Chegaram um dia a uma solução, e apresentei-me para conhecê-la. Depois de ouvir e assistir, um pouco envergonhado, ao estudo retrospectivo de meus reflexos condicionados e das minhas atitudes passadas, meu mentor espiritual considerou:

— Acabamos de estudar o seu caso. Chegou a tal ponto de reação motora que sua vontade é quase inócua para evitar o deslize. Por isso, torna-se preciso paralisar o veículo do erro, para aprender de novo e equilibradamente a manter seu controle. Aconselhamos uma reencarnação em que, por diversas circunstâncias, venha a perder a língua. O que será fácil conseguir, porque, como pode ver, ela já está danificada e envolvida pelas vibrações negativas com que a brindou. Como está resolvido a lutar para melhorar, conseguimos, com auxílio da prece, esta dádiva do Senhor. Os detalhes serão estudados com os irmãos reencarnacionistas.

— Confesso que senti grande abalo. Entretanto, quanto mais pensava no caso, mais compreendia que tinham razão. Renasci na França, filho de fidalgos. Contudo, esquisita moléstia paralisava-me a língua, impedindo-me de falar como as outras crianças.

A princípio, lutei com todas as minhas forças para fugir à doença, que me fazia sofrer horrivelmente. Porém, aos poucos, fui me habituando a ela. Tive paralisia completa. Não conseguia emitir nenhum som. Na aspereza da provação, porém, sentia-me feliz, parecendo-me que alguma força interior me sustentava. As tentações eram maiores porque as pessoas, sabendo-me impossibilitado de falar, não se importavam de tratar dos assuntos graves na minha presença. Fui testemunha, assim, de intrigas e mentiras, ódios e perversidades, luxúria e egoísmo, que regurgitavam nos salões da corte. Mas assim fui aprendendo a conhecer a beleza e a força do silêncio, e muitas vezes, presenciando o desenrolar dos fatos, agradecia a Deus não ter podido falar sobre o assunto. Comecei a notar o perigo das palavras e suas consequências. Cheguei ao fim da existência mais equilibrado e sereno. Porém uma só experiência não foi suficiente. Reencarnei de novo ainda com paralisia parcial da língua. Submetido a longo e doloroso tratamento para falar, recuperei o uso do órgão enfermo, mas, com o auxílio do Alto, permaneceu um resquício da atrofia, e eu sofria terrível gagueira. Não podia conversar livremente, pois gaguejava desagradavelmente. E, mesmo com vontade de falar, sentia vergonha, notando o mal-estar que provocava naqueles com quem conversava. Por fim, voltei nesta última encarnação com o órgão normal, porém, conservando a experiência passada, já não sentia vontade de falar. Fui envolvido e tentado por todos aqueles que colecionam os defeitos alheios e os exibem. Com a graça de Deus, consegui vencer

— e continuou, sorrindo: — Há muitos anos que não falo tanto como hoje! Estou exausto!

Eu conjecturava na perfeição da Lei e respondi:

— Na verdade, alcançou o progresso desejado, mas a que preço! — terminei, um pouco chocado com o seu sofrimento.

— Ora, ora, meu amigo! Quantos acidentes seriam evitados se cada um pudesse comandar plenamente seus veículos na vida? E, se não conseguem detê-lo e ele se torna perigoso, é lógico que deve ser recolhido à oficina para conserto. Hoje, verificando o benefício do calar no momento oportuno, acho irrisório ter dado apenas uma língua para pagar o preço do silêncio!

E eu fiquei silencioso, penetrando fundo na beleza da lição.

Marcos Vinícius

26

A ESPERANÇA

Jazia em um catre humilde, de dor, uma triste criatura, corpo recoberto de chagas, onde as insistentes moscas, pousando irreverentes, aumentavam o desconforto. O velho corpo alquebrado, pele cobrindo ossos, exangue e cansado, arquejava de quando em vez, mostrando dessa maneira que a vida ainda adejava nele em pálida despedida.

Ao redor, na choupana humilde, tudo era desolação. O único aposento, exíguo e infeto, úmido e permeável aos rigores das intempéries, parecia abandonado e só, sem a atividade constante do seu ocupante.

Longo era o dia para aquela pobre criatura, sem ninguém que a socorresse, que a amparasse no transe difícil e lhe desse ao menos o conforto de um caldo quente para aquecer o estômago.

Sombras sinistras rondavam o desolador local e, na sua indigência espiritual, aquele pobre ser alquebrado sentia a aproximação da morte.

Longe dali, porém, em casa confortável, jovem mulher recolhida em prece agradecia ao Senhor a bênção da felicidade doméstica e, coração cantante de fé, buscava recolher do Alto as dádivas do bom ânimo e da esperança para alimentar sua vida feliz.

Entretanto, inopinadamente, vislumbrou, em distensão dos olhos espirituais, a cena lúgubre da pobre e solitária criatura agonizante. Chocada, tentou afastar de si a perturbadora visão que fora arrancá-la da agradável sensação de felicidade ao contato com a vibração mais pura. Porém, quanto mais se envolvia nos eflúvios da prece, tentando fugir ao ambiente depressivo, mais ele se lhe aparecia, numa constância irrecusável.

Então, sem poder vencer do seu coração aquela sensação de desconforto, sem poder afastar de si a cena desagradável que lhe repugnava a visão, resolveu sair em busca da casinha abandonada que, para ela, estava ainda desocupada.

Apressada, caminhava levando no coração um sentimento angustiado que não podia reprimir.

Ao chegar ao lar humilde, entrou e, vendo o ser exangue, cuja vida se esvaía, teve instintivamente um movimento de recuo. Todavia, seu coração de mulher apertou-se ao observar o abandono e a falta de conforto do ambiente.

Timidamente, balbuciou:

— Senhor, vim para ajudá-lo no que puder ser útil.

Um gemido doloroso avisou-a de que o enfermo ainda ouvia e estava consciente.

Tocada por um sentimento indefinível, ela, reagindo contra a repulsa que a precária situação do doente lhe causava, procurando evitar o cheiro nauseabundo que seu corpo chaguento exalava, aproximou-se devagar, e então, fixando a face carcomida e macilenta, seu coração se sobressaltou. Um angustioso pressentimento a envolveu, e ela, esquecendo tudo o mais, deixou-se cair de joelhos ao lado do catre.

Aterrorizada, procurou orar ao Senhor, embora seu pensamento estivesse confuso e atemorizado. Num repente de emoção, sem poder conter-se, exclamou num grito que lhe saiu do fundo da alma:

— Pai, perdoe-me!

Ao brado aflito de remorso e de tristeza infinita, o pobre enfermo, abrindo os olhos, fitou com alegria a figura bela que, de joelhos, olhos marejados, esperava ansiosa uma resposta. E então seu rosto se iluminou em alegria incontida, enquanto com dificuldade murmurava, comovido:

— Eu tinha certeza de que haveria de vê-la pela última vez antes de partir. Queria vê-la a distância, pelo menos. Vim de longe, mas a moléstia não me deixou aproximar-me de sua casa. Caí aqui, extenuado e doente. Agora, posso ir em paz.

Doce serenidade banhava a fisionomia do enfermo, e o ambiente se modificara. Diante do reencontro daquelas criaturas, da pureza dos seus sentimentos, tudo se transformara.

E a jovem mulher, amargurada e comovida, recordou-se num átimo das divergências entre seu esposo e o velho pai, que viúvo fora residir em sua casa; dos incômodos que sua presença lhe causara com sua intromissão em seu lar, a tal ponto de ter-lhe feito sentir a necessidade de viver recluso em seus aposentos e sozinho. Com o remorso acicatando o coração, lembrou-se da dor e da intranquilidade que lera na cansada fisionomia do velho pai, que logo partira, dizendo preferir residir em casa de um amigo muito chegado, no interior.

A verdade, porém, já o sabia, é que ele se afastara para não perturbar sua paz doméstica, e sem recursos, velho e alquebrado, sofrera todos os rigores do abandono.

Sentindo vibrar as cordas mais íntimas do coração, a filha negligente, deixando rolar as lágrimas amargas do arrependimento, disse com sinceridade:

— Pai, perdoe-me! Fui má e leviana, irei levá-lo agora para casa, seremos felizes juntos, estaremos unidos. Cuidarei do senhor e há de ficar bom!

Reunindo ainda um resquício de força, o velho respondeu, comovido:

— Abençoada é por me ter dado a bênção da esperança nos últimos anos da minha vida, e agora preciso partir. Mas, um dia, estaremos juntos para sempre.

Sem entender, ela respondeu:

— Mas, pai, fui má e injusta, releguei-o ao abandono, como pode dizer que lhe dei esperança?

— O amor que sinto por você foi-me luz na aspereza do caminho. Se sofri, se chorei, se me senti abandonado da sociedade, jamais me senti só. As lembranças felizes do nosso passado estavam comigo, entre elas, as doces e suaves carícias da sua infância, na ingenuidade pura do seu coração de filha. Vê-la, seguir os seus passos a distância, rezando pela sua felicidade, foi a força que me sustentou na dura provação. Sou-lhe por isso infinitamente grato, porque sem a esperança de vê-la e amá-la, jamais se acenderiam para mim as luzes do coração.

E, quando a filha, soluçante e enternecida, deixou pender a cabeça sobre seu peito cansado, ainda pôde sentir, em um derradeiro esforço, descer sobre ela a carícia de sua mão.

Marcos Vinícius

Rua das Oiticicas, 75 – SP
55 11 2613-4777

contato@vidaeconsciencia.com.br
www.vidaeconsciencia.com.br

APONTE A CÂMERA DO
SEU CELULAR PARA LER
O QR CODE **E VISITE
NOSSA LOJA VIRTUAL.**

APONTE A CÂMERA DO
SEU CELULAR PARA LER
O QR CODE **E VISITE
O SITE GASPARETTOPLAY.**